JEAN-CHRISTOPHE TIXIER

LA PROMESSE DE LYLAS

RAGEOT

À Stéphane.

Couverture de Didier Garguilo

ISBN : 978-2-7002-4265-2

Avertissement aux lecteurs

Il est des peuples étranges qui vivent dans des mondes parallèles. Rien, a priori, ne trahit leur présence. Ces êtres sont en toutes choses, connaissent d'autres réalités que les nôtres, mais partagent le même espace que nous.

Accepter de s'ouvrir à l'extraordinaire et l'inattendu permet parfois de les rencontrer.

Mais qui n'est pas en éveil, ni doué d'une infinie patience, ne percevra pas les infimes traces qui prouvent leur existence...

... peut-être un jour les croiserez-vous.

L'APPEL

1

– Tomas, tu perçois le murmure de ce chêne ?
Il tourna vers son amie un visage heureux et lui
sourit.
Lui ne percevait rien. Et il s'en moquait. Le seul
spectacle de Lylas suffisait à le combler.
Elle posa son front contre l'écorce.
– Il est comme nous, dit-elle.
Tomas ne pouvait détacher son regard de Lylas.
Sa chevelure d'un blanc immaculé ondoyait dans la
légère brise. Son corps juvénile, plus gracieux que
n'importe quel paysage, se confiait au chêne tandis
que les rayons du soleil jouaient sur son visage à
travers le feuillage. Concentrée, elle gardait les yeux
clos, à l'écoute des imperceptibles chuchotements
de la nature.
– Le ciel et la terre sont en lui.
Tomas s'approcha d'elle et la saisit par la taille.

Lylas, surprise, souleva ses paupières, découvrant la profondeur de ses immenses yeux noirs.

– Plus que le murmure des arbres, c'est le battement de ton cœur que j'aime entendre, lui glissa-t-il à l'oreille en l'attirant contre lui.

Lylas posa un doigt sur sa bouche.

– Tais-toi. La vie aime aussi le silence.

La jeune fille tendit ses lèvres pour l'embrasser quand, soudain, un vent frais secoua les branches au-dessus de leurs têtes, emportant les feuilles les plus tendres.

Un long frisson parcourut Lylas. Tomas la sentit se raidir, vit son front se plisser.

Alors qu'il l'interrogeait du regard, le ciel s'obscurcit. La pénombre brouilla les contours des arbres, avala les couleurs, transformant le paysage en nuances de gris. Le vent gémissait dans les arbres. Tomas resserra son étreinte. Des bourrasques furieuses tentaient de les arracher l'un à l'autre. Il s'agrippa à elle. Puis ce furent les ténèbres.

Il regarda Lylas, et fut saisi d'effroi. L'obscurité avait dévoré chacun de ses traits. Elle n'était plus dans ses bras qu'un corps inerte et sans visage. Autour d'eux, la nature s'était évanouie. Il eut envie de crier, mais aucun son ne sortit de sa gorge.

À cet instant, la tête de Lylas bascula en arrière et ses pieds quittèrent le sol. Tomas la serra plus fort encore, une rafale subite et cruelle la happa et l'emporta. Il voulut la rattraper, en vain. La terreur le paralysait. Vaincu, il tomba à genoux. Ses hurlements se perdirent dans l'immensité noire et avide.

Alors qu'il s'apprêtait à y plonger dans l'espoir d'y retrouver Lylas, il s'éveilla soudain, se redressa dans un sursaut, haletant, ouvrit les yeux. La lumière l'éblouit. Autour de lui, la nature était paisible. Le soleil, parfaitement immobile, occupait sa place immuable dans le ciel.

Il s'était assoupi à l'ombre de l'arbre dans lequel Lylas s'était tant de fois installée pour l'observer. À cette pensée, Tomas sentit son cœur saigner. Depuis sa disparition trois mois plus tôt, il n'avait pas de nouvelles et, comme dans son cauchemar, il n'avait rien pu faire pour empêcher son enlèvement.

Une rage profonde mêlée d'impatience bouillonnait en lui. Il en voulait à cette guerre qui, après lui avoir volé ses parents, avait consumé Rose Mama, sa grand-mère qui l'avait élevé et venait de mourir. Cette guerre, qui avait conduit à la disparition de Lylas et emporté l'insouciance de leurs quinze ans.

Aujourd'hui sa décision était prise : il allait partir. Il avait accompagné Rose Mama jusqu'à son dernier soupir et désormais son cœur était ailleurs, loin, auprès de Lylas. Mais où était-elle ?

Son regard se posa alors sur son ombre.

– Tu te souviens de ce que tu m'as promis le soir de l'enlèvement de Lylas ? demanda-t-il à l'Ilys qui y résidait depuis toujours.

∞ Oui, je m'en souviens, répondit Mex.

– Répète-le-moi.

∞ Mais...

– Maintenant ! exigea Tomas. J'en ai besoin.

∞ Nous la retrouverons, vibra-t-il.

– Encore, ordonna-t-il en haussant la voix.

∞ Nous la retrouverons.

– Encore !

∞ Nous la retrouverons, répéta Mex.

– Nous, nous, nous, insista Tomas avec force.

∞ Oui, nous.

– Je peux compter sur toi ?

∞ Oui, affirma Mex d'une vibration ferme. Tu es plus que mon hôte, Tomas, nous sommes liés à jamais, et cette guerre est avant tout la mienne.

2

Des recrues nombreuses s'initiaient aux techniques de combat lorsque Tomas traversa d'un pas décidé la zone d'entraînement. Certains maniaient l'épée et le couteau, d'autres se perfectionnaient à la lutte à mains nues. Nul ne savait la forme que prendrait l'assaut de l'ennemi, ni quand il aurait lieu. Leur seule certitude était que chaque jour l'échéance se rapprochait.

Tomas pénétra dans le bâtiment principal. Même s'il était décidé, il n'en menait pas large. Là allait débuter le huis clos du conseil des initiés, au cours duquel se joueraient les conditions de son départ.

– Si le Grand Commandeur refuse de nous octroyer quelques hommes pour partir libérer Lylas, nous quitterons le campement sans prévenir quiconque. Il n'y a plus de temps à perdre, annonça-t-il, les poings serrés, à son Ilys.

Mex se contracta et sa structure limpide vira au noir.

∞ Laisse-moi trouver les mots pour le convaincre, Tomas. Avant d'être le Grand Commandeur, Wiggs est celui qui en se divisant m'a donné la vie.

Tomas poussa la porte. Les autres membres du conseil étaient déjà installés sur les tabourets en bois disposés en demi-cercle face aux berceaux vides. Quatre femmes et sept hommes, tous des initiés parmi lesquels Dennis, chargé de la sécurité du camp, qui lui adressa un léger signe de la tête.

Tomas lut dans son regard une interrogation muette qu'il décida d'ignorer. Deux rides plissèrent alors son front dégarni.

Tandis qu'il s'installait, Louise entra à son tour, ses jumeaux dans les bras.

– Je suis désolée, s'excusa-t-elle à mi-voix. Ils ont mis plus de temps que prévu pour manger.

Elle les déposa délicatement dans les berceaux et se retira en silence.

∞ Nous pouvons commencer, décréta le Grand Commandeur, dont la structure légèrement fripée trahissait l'impatience.

Chaque Ilys transmettait à son hôte les vibrations du Grand Commandeur. À ses côtés, dans l'ombre du second bébé, son Haut Conseiller n'émit aucune vibration.

Le conseil se réunissait ainsi une fois par semaine. Chacun des membres était à son tour invité à présenter son rapport. Dennis fut le premier à égrener ses informations.

– Les travaux de la deuxième enceinte sont en avance sur le calendrier prévu, annonça-t-il avec satisfaction. Dans moins de quinze jours, les derniers postes de guet seront opérationnels. Quant au chemin de ronde, il est complètement défriché. Il nous reste à terminer de creuser le fossé sud et à surélever la tour nord. Il nous manque cependant du bois pour...

– J'ai doublé les équipes chargées de l'approvisionnement, le coupa l'intendante principale. Vous aurez tout le bois nécessaire dans les prochains jours.

∞ C'est parfait, commenta avec simplicité le Grand Commandeur.

Tomas écoutait d'une oreille distraite. Les problèmes de ravitaillement, le recrutement des troupes, l'organisation des équipes et des patrouilles, étaient éloignés de ses préoccupations. Le battement régulier de son pied sur le sol trahissait son bouillonnement intérieur. Aussi, avant que les membres du conseil ne le remarquent, Mex prit le contrôle de la jambe de son hôte et l'immobilisa.

Tomas ne manifesta aucune réaction.

L'Ilys de Dennis, chargé de la perception des vibrations ennemies, dressa à son tour un état détaillé de la situation.

∞ Les vibrations que nous captons attestent que de petits groupes très mobiles d'ennemis patrouillent dans les alentours. Ils nous observent, étudient le terrain. Ils sont tellement sûrs de leur supériorité qu'ils ne cherchent pas à être discrets. Leurs Ilys ne recourent à aucune technique de brouillage.

17

∞ Vous avez repéré des mouvements de masse ?
interrogea le Grand Commandeur.

∞ Non, aucun à ce jour.

La tension monta d'un cran. Le Grand Commandeur donna alors la parole au maître d'armes.

∞ Sommes-nous prêts ?

De taille moyenne, le maître d'armes était tout en muscles, avec un regard vif qui lui suffisait pour donner ses consignes. Son visage se durcit.

– L'apprentissage des techniques de combat n'est pas des plus aisés et je me trouve dans une situation délicate. La quasi-totalité de nos troupes est composée de réceptifs. Ils ne connaissent donc pas l'existence des Ilys. De plus, parmi ces réceptifs, beaucoup le sont très peu. Il est alors difficile pour les Ilys de suggérer efficacement à leur hôte les parades et les attaques nécessaires pour emporter le combat.

∞ Que proposez-vous ? demanda le Grand Commandeur.

– Nous devrions organiser différemment nos troupes. Les...

– Ce n'est pas ainsi que nous vaincrons les infestés, explosa soudain Tomas.

L'écho de son dernier mot résonna dans un lourd silence.

Sentant poindre la tempête vibratoire du Grand Commandeur et de son Haut Conseiller, Mex se contracta. Mais la colère attendue laissa la place à une vibration froide.

∞ Je condamne et réfute l'utilisation de ce terme d'*infestés*, commença Wiggs, le Grand Commandeur.

Si ces humains sont, comme tu dis, *infestés*, cela signifie que les Ilys qui occupent leurs ombres sont des parasites. Or ce sont nos frères.

– Les Rogons, vos frères ? s'emporta Tomas. Les Rogons sont avant tout vos ennemis. De plus, ils n'ont aucun respect pour leurs hôtes et les manipulent comme des pantins. L'unique objectif des Rogons est d'asservir l'ensemble de l'humanité à leur seul profit. Les ombres sont rares et vous savez très bien qu'ils n'hésiteront pas à supprimer les Almars pour se les accaparer.

∞ Avant d'être des Rogons et des Almars, nous appartenons tous au peuple ilys. Nous sommes effectivement ennemis, mais les Rogons ne peuvent être rabaissés au rang de parasites. Un jour cette guerre cessera, et nous parviendrons à réunifier notre peuple. Nous devons faire la différence entre les chefs et leurs troupes. N'oublie jamais ça.

– Peu importe comment nous les nommons si nous sommes incapables de repousser leur assaut ! s'exclama Tomas.

Craignant une escalade verbale, Mex immobilisa un instant la bouche de son hôte. Quand il le sentit ravaler sa rage, il le laissa reprendre.

– Nous ne gagnerons pas la guerre en attendant ici d'être attaqués. Malgré nos forces, nous ne pourrons résister bien longtemps à un siège.

∞ Que proposes-tu ? vibra le Grand Commandeur.

Tomas prit une profonde inspiration.

– Lylas a été enlevée par les inf... les humains abritant des Rogons, rectifia-t-il. Je souhaite partir à sa recherche.

∞ En quoi cela servirait-il la cause almar ? s'étonna le Haut Conseiller qui sortait enfin de son mutisme.

– Donnez-moi quelques hommes et nous irons la délivrer. Les informations que nous rapporterons sur l'état des troupes rogons nous permettront de préparer une riposte plus efficace.

Blich, le Haut Conseiller, s'adressa à Mex de manière codée.

∞ Nous ne sommes pas dupes des réelles motivations de Tomas, vibra-t-il sèchement. Il veut avant tout retrouver Lylas.

∞ Non, s'indigna Mex. Vous savez très bien qu'il est profondément acquis à notre cause et souhaite plus que tout la victoire des Almars sur les Rogons. Il veut rendre leur liberté aux hommes soumis aux suggestions des Rogons. Et puis sans Lylas, vibra-t-il à l'adresse du Haut Conseiller, Tomas n'aurait pas pu vous ramener ici. Elle...

∞ Nous allons réfléchir à la proposition de Tomas, l'interrompit le Grand Commandeur avant de lever la séance.

3

La cellule taillée dans la roche mesurait huit pieds de large et douze de long. Hormis la porte, petite et lourde, elle ne possédait aucune ouverture et était plongée dans une obscurité totale. Un noir intense qui réveillait chez Lylas une multitude de souvenirs.

Tassé par les piétinements successifs de tous ceux qui avaient séjourné là avant elle, le sol de terre battue était dur comme de la pierre.

À son arrivée, Lylas s'était penchée pour le sentir et aussitôt avait reculé, effrayée par les images et les sensations qu'il lui transmettait.

Plus tard, elle avait gratté le sol avec ses ongles, mis un peu de cette terre au creux de sa main. Elle l'avait malaxée entre son pouce et son index. Enfin, elle l'avait goûtée. Ses papilles, comme ses cellules olfactives, avaient été assaillies par un parfum lourd et obsédant. Un parfum qu'elle connaissait.

« La mort »

Nombreux étaient ceux qui avaient perdu la vie dans ce lieu. Elle percevait leurs cris, leur désespoir, leur longue agonie.

Où se trouvait-elle ?

Rien ne permettait de le deviner. Elle se souvenait nettement de l'irruption de ces hommes dans sa maison et du vide qui avait suivi. Ils l'avaient assommée et certainement droguée car elle n'avait aucun souvenir du trajet. Elle s'était réveillée dans ce lieu aux allures irréelles avec un mal de tête qui, lui, était bien réel.

« Combien de temps ? »

Cette question restait sans réponse. Comme toutes celles qui commençaient par *où*, *qui*, et *pourquoi*. Alors elle s'était réfugiée dans le concret, loin de toutes spéculations. Taille de la pièce, composition des murs, du sol. Fréquence des allées et venues de son gardien.

Celui-ci, un homme d'une cinquantaine d'années, avait une jambe légèrement plus courte que l'autre et était de forte corpulence. Il lui apportait ses repas avec une régularité parfaite.

Dans cette cellule plongée dans le noir, Lylas avait retrouvé ses réflexes. Elle avait recommencé à compter le temps, comme le lui avaient appris les anciens dès son plus jeune âge. Elle avait caressé chaque parcelle de ce lieu pour en dresser une image parfaite dans son esprit. Puis patiemment, jour après jour, elle avait capté et enregistré chaque son. Les pas de son gardien, le murmure de la pierre, les faibles ondes sonores provenant d'un dehors lointain.

Elle savait que cet au-dehors se situait au-dessus d'elle, à très exactement cinq mètres. De cet au-dehors lui parvenaient le bruit de pas martelés, le claquement des sabots des chevaux. Il y avait beaucoup de monde. S'agissait-il d'une caserne ?

Son geôlier ne tarderait plus. Elle commença un compte à rebours, égraina lentement les chiffres. Quand elle parvint à zéro, elle perçut son pas lourd dans le couloir.

Elle l'entendit poser une gamelle sur le sol, puis la minuscule porte bardée de fer s'ouvrit. Du bout d'un bâton, l'homme poussa son repas à l'intérieur et referma. Avait-il peur qu'elle le morde ? L'idée d'être prise pour une bête féroce et sanguinaire l'amusa.

Comme chaque jour depuis son arrivée, des légumes bouillis baignaient dans une sauce épaisse et relevée, dont le goût puissant avait envahi tout son corps, au point de modifier son odeur naturelle. Elle aimait ces légumes qui constituaient son seul lien avec cette nature qui lui manquait tant.

Elle employait une partie de ses journées à effectuer des rêves éveillés. Elle se remémorait de vastes étendues couvertes de hautes herbes ondoyant dans le vent, le bal des oiseaux dans le ciel, le murmure de la sève grimpant dans les troncs. Elle cultivait ces images pour éviter que l'obscurité et le temps ne rompent leur splendeur.

« Mon romarin », songea-t-elle avec nostalgie.

« Tomas », pensa-t-elle aussitôt. Une violente douleur lui perça le cœur.

4

Comme Lylas l'avait certainement fait des milliers de fois, Tomas caressa les feuilles allongées aux bords très légèrement ourlés du romarin. L'arbrisseau était couvert de petites grappes de fleurs bleu pâle.

Il sentit sa main. Le parfum du romarin, légèrement camphré, devenait pour lui celui de Lylas.

Elle l'avait planté en plein milieu de la pièce, dans un trou qu'elle avait pratiqué dans le plancher et ensuite comblé de terre. En un geste machinal, Tomas arracha les mauvaises herbes à son pied, enleva une branche morte puis mouilla la terre. Il demeura de longues minutes les yeux dans le vague, à se remémorer son rêve de la veille.

∞ Je viens de capter un appel, l'informa Mex. Le Grand Commandeur souhaite nous rencontrer.

Tomas se redressa avec fébrilité.

Il caressa une dernière fois l'arbrisseau, fit le tour des différentes pièces, posa le bout de ses doigts sur chacun des objets appartenant à Lylas. Son armoire, le coffre en bois dans lequel elle fourrait tout ce qu'elle trouvait. Il attrapa la sacoche contenant les terres avec lesquelles elle l'avait soigné, et la mit en bandoulière.

– S'il n'accède pas à notre demande, nous partirons quand même, prévint-il entre ses mâchoires serrées. Mes affaires sont prêtes.

Mex se comprima violemment et fut submergé par le doute. Sa structure s'obscurcit.

Tomas laissa derrière lui la maison de Lylas. Sur le chemin, il croisa deux patrouilles, qu'il salua d'un simple signe de tête.

Le retour se fit en silence, chacun mesurant les conséquences qu'induirait un refus du Grand Commandeur.

Au moment où ils pénétraient dans la salle du conseil, la corne de brume annonçant le début du temps de veille retentit. Le soleil ne se couchant jamais, c'était le seul moyen d'établir un rythme de vie collectif.

Tomas se présenta devant les berceaux. Les deux bébés étaient endormis. Son regard glissa de l'un à l'autre.

∞ Nous avons longuement réfléchi, commença le Grand Commandeur.

La surface de Mex était figée dans l'attente.

∞ Tomas est un garçon intelligent, poursuivit-il, qui a prouvé sa bravoure et son esprit d'analyse. Nous sommes conscients de la faiblesse de notre défense. Il a sans doute raison quand il affirme que nous ne pouvons nous contenter d'attendre une attaque rogon. Mon rôle est de veiller à la sécurité des Almars, insista-t-il. Blich m'a convaincu de l'intérêt de cette expédition.

Mex n'en revenait pas. Le Haut Conseiller demeurait impassible. Rien dans l'aspect de sa structure ne laissait entrevoir les raisons de son revirement.

∞ Aussi, reprit le Grand Commandeur, pendant que nous réorganisons notre sécurité, vous irez espionner les Rogons afin de percer leurs intentions.

La structure de Mex fut animée d'une série de soubresauts.

∞ Mais pas à n'importe quelles conditions, intervint le Haut Conseiller. Vous ne partirez pas seuls, ce serait trop dangereux. Et pas avant que la mission soit parfaitement préparée et validée par nos soins. C'est compris ?

∞ Com... compris, vibra à son tour Mex.

Dès l'entretien clos, il entraîna Tomas au-dehors pour lui transmettre la nouvelle.

∞ On part ! annonça-t-il fièrement.

À ces mots, Tomas ferma un instant les yeux et émit un long soupir. Du plus profond de son être, il sentit monter une énergie nouvelle.

– Enfin, murmura-t-il.

Ses pensées s'envolèrent aussitôt vers Lylas.

5

Tomas s'empressa de rejoindre Dennis dans un des postes de guet avancés, où il vérifiait la bonne application des consignes de sécurité.

– Alors ? s'enquit-il dans un sourire bienveillant.

– Nous avons l'accord du Grand Commandeur pour partir, s'écria Tomas. À moi de constituer une équipe pour m'accompagner. Acceptes-tu de te joindre à nous ?

– Si j'avais quelques années de moins, je t'aurais dit oui. Mais je n'ai malheureusement plus la condition physique suffisante pour un si long périple. Et puis ma place est ici. Il faut former des combattants, assurer l'approvisionnement de nos troupes, protéger le Grand Commandeur et... revoir toute la sécurité du campement.

Pour masquer sa déception, Tomas attrapa une herbe et en mâchonna l'extrémité. Il n'insista pas. Un nuage traversait doucement le ciel.

– Wiggs m'a demandé de superviser les préparatifs de ton départ, ajouta Dennis.

– Pourquoi le Haut Conseiller a-t-il brutalement
changé d'avis ? Il semblait si hostile à ma demande.

– Je ne sais rien de leurs discussions. Sans doute
ton intervention de ce matin les a-t-elle fait réfléchir. Mais laissons ça de côté. Les préparatifs nous
attendent.

– Nous ? lança Tomas, surpris.

– Superviser ne signifie pas décider à ta place,
tempéra Dennis. Viens, rentrons.

Mex profita du trajet pour intervenir.

∞ Je voudrais faire équipe avec Bem. C'est un
excellent suggesteur et un bon pisteur.

– Bem ! s'exclama Tomas en grimaçant. C'est hors
de question. Son hôte ne nous sera d'aucune utilité.

∞ Bem est le meilleur suggesteur, insista Mex.

– Peut-être, mais Gustave n'est pas le coéquipier
rêvé. Avec un type pareil à mes côtés, les infestés
nous repéreront à dix milles lieues à la ronde. Et
s'ils nous tombent dessus, je ne pourrai pas compter
sur lui.

∞ Si Bem peut obliger son hôte à danser le
moonwalk, pourquoi ne parviendrait-il pas à le
transformer en vaillant guerrier ?

– Tu as vu comment il est taillé ?

Dennis assistait à la discussion, un brin amusé.

– Vous ne serez pas trop de trois, lança-t-il à destination de Tomas.

Celui-ci réfléchit, hésita un instant. Il souhaitait
une personne forte, digne de confiance. Il se remé-

mora alors la manière dont Colin s'était battu lors de la dernière attaque rogon, son ardeur au combat, son engagement total.

– J'accepte Gustave, annonça-t-il à Mex, à condition que Colin nous accompagne.

– Louise refusera, réagit Dennis. Avec les jumeaux, elle a besoin de lui et...

– J'ai besoin de sa puissance, et son Ilys détient désormais le pouvoir des transfacteurs. S'il devait arriver malheur à l'un d'entre nous, nos Ilys pourront ainsi changer d'ombre. En tant que superviseur de la mission, tu devrais parvenir à la convaincre, non? répliqua Tomas avec un air de défi.

– Très bien, soupira Dennis. Si vous êtes tous les deux d'accord sur la composition de l'équipe, je vais aller la trouver.

Alors qu'ils s'installaient sur la terrasse, Dennis gagna la maison d'un pas lourd.

∞ Va y avoir de l'orage, annonça Mex.

– À ta place, je ne me moquerais pas trop, le reprit Tomas d'un ton vif. Si Colin ne m'accompagne pas, je mettrai mon veto à la venue de Gustave.

∞ Détends-toi un peu, souffla Mex. Je plaisantais.

Quand Dennis reparut, il affichait un visage soulagé.

– C'est bon, annonça-t-il en gratifiant Tomas d'un clin d'œil.

– Comment es-tu parvenu à la convaincre?

— Laisse-moi mes secrets de négociateur, répliqua-t-il en souriant. Veille sur lui, c'est tout ce que je te demande.

— Tu peux compter sur moi. Quand part-on ? s'empressa Tomas.

— Nous avons envoyé un appel à l'Ilys de Gustave. Il arrivera certainement demain. D'ici là, quelques heures de repos ne nous feront pas de mal.

Tomas gagna sa chambre et tira la double paire de volets afin de créer l'obscurité nécessaire. Le sommeil fut long à l'emporter. Mille questions le tourmentaient, mais une certitude le guidait. Rien ni personne ne le retenait plus ici désormais.

6

Les parois de sa cellule de pierre suintaient. Lylas imagina l'au-dehors. La pluie qui ruisselait, l'odeur de terre et de mousse, le bruit des gouttes sur les feuilles des arbres. Elle passa le plat de sa main sur le mur et caressa ses joues, savoura cette délicieuse sensation de fraîcheur. C'était un peu de cette nature magnifique qui parvenait jusqu'à elle.

Elle posa sa langue sur sa main humide. Une effroyable amertume envahit aussitôt sa bouche. Le goût de tous les cris que les murs avaient retenus était le plus fort. Lylas essuya sa main sur sa chemise.

Un gémissement lointain lui parvint. À moins que ce ne fût un soupir de la terre qui se gorgeait d'eau. Elle plaqua son oreille contre la roche, mais ne perçut rien. Alors elle s'accroupit et plaça ses deux paumes sur le sol. Elle retint sa respiration et se concentra.

Il y avait quelqu'un en dessous d'elle. Des pas feutrés, résignés, mais pleins d'une rage sourde montaient jusqu'à elle.

Comment ne les avait-elle pas remarqués plus tôt ? Les vibrations provenaient des profondeurs de la terre. Y avait-il d'autres cellules sous la sienne ? Lylas écouta longuement. Puis les vibrations cessèrent.

Durant les heures qui suivirent, elle tenta de capter à nouveau un léger signe de vie. Rien.

Quand son geôlier apporta son repas, elle le questionna d'une voix qu'elle souhaitait la plus douce possible :

– Suis-je seule ici ?

Elle n'obtint pas de réponse.

Elle poussa son repas de côté et repositionna ses mains sur le sol pour suivre le trajet de son gardien. Allait-il descendre à un étage inférieur ? Elle l'entendit s'éloigner, puis elle perdit sa trace.

Avait-elle rêvé ?

Elle se redressa, déçue. Alors elle se projeta dans un tourbillon de souvenirs. Des forêts verdoyantes, des plaines immenses où coulait une rivière. Elle imagina le vent chaud dans sa chevelure, sa douce caresse sur sa joue. Elle revit le scintillement du soleil dans les gouttes d'eau après la pluie, le jeu de ses rayons dans les feuillages. Elle se souvint de cette clarté apaisante qui charmait ses yeux quand ses paupières étaient closes. Des sensations trop tardivement découvertes, et dont on l'avait trop vite privée.

Elle se demanda s'il ne s'agissait pas d'un rêve envahissant dont son esprit ne parvenait pas à se défaire. Elle fixa son esprit sur Tomas. À cette pensée, elle sentit son corps tout entier vibrer. Elle revécut l'instant où elle avait pris ses mains dans les siennes, et aussitôt avait su.

« Tomas »

La cherchait-il ? Cette pensée lui fit si mal qu'elle préféra l'abandonner. D'autres surgirent, la tribu, le grand cercle, Gurvan, qu'elle repoussa une à une. Son passé la rattrapait-il ? Cette perspective l'anéantit.

Lylas s'adossa au mur et se laissa glisser au sol. Sa fuite aurait-elle été vaine ?

Au creux de ses mains posées à plat sur le sol, elle perçut de nouveau ces pas surgis des profondeurs.

7

– **N**ous pensons que Lylas est détenue dans la forteresse rogon, annonça Dennis en dépliant une grande carte sur la table. Elle est ancienne, mais nous n'avons pas mieux.

Tomas se pencha, impatient. Il reconnut les étendues qu'il avait traversées au nord. Les plaines, les forêts, les montagnes, et plus loin encore, le terrible désert du Chien.

– Nous nous trouvons ici, n'est-ce pas ? demanda-t-il en pointant la carte.

– Oui, et là commence la nuit, commenta Dennis en traçant de l'index une ligne dans la partie sud.

– Tu y es déjà allé ? questionna Tomas, fasciné.

– Non. Il n'y a plus rien dans cette partie du monde. La nuit a tout mangé.

– Et où se trouve la forteresse rogon ?

Le doigt de Dennis se posa sur une vaste tache verte, un peu au-dessus de la ligne de démarcation entre le jour et la nuit.

Tomas hocha lentement la tête.

– Que représente cette étendue verte tout autour ? reprit-il pour se défendre de l'émotion qui l'étreignait.

– Il s'agit d'une zone de marais. L'endroit est dangereux, mal connu, et rares sont ceux à s'y être aventurés.

– Et ici, c'est quoi ? Une ville ?

– Oui, Galbar. Une ville immense où vivent des dizaines de milliers de personnes. Une mégapole ultramoderne s'élevait là avant le grand cataclysme. Aujourd'hui, la ville est aux mains des Rogons. Leurs milices y font régner l'ordre, traquent les contestataires et couvrent certaines dérives. Galbar est le lieu de tous les trafics.

– Alliés ? Ennemis ?

Dennis fronça les sourcils, incertain.

– Il est des lieux où cette distinction n'existe pas vraiment. Les habitants de Galbar sont avant tout occupés à survivre. Et ils n'ont pas d'autre choix que de se soumettre aux milices rogons. Cette ville sera un passage obligé pour toi.

– Pourquoi ?

– Nous savons de manière quasi certaine que le groupe qui a enlevé Lylas est passé par Galbar. Sa chevelure blanche la rend identifiable. Tu pourras y collecter d'autres informations. Nous avons un agent sur place. Gustave et Bem te mèneront à lui. C'est aussi à Galbar que tu trouveras un guide pour t'enfoncer dans la zone des marais et te conduire jusqu'à la forteresse.

À cet instant, Colin pénétra dans la pièce. Son physique robuste, que son visage carré et son regard déterminé rehaussaient, conforta Tomas dans son choix.

Il se pencha à son tour sur la carte.

– Nous avons deux possibilités, énonça aussitôt Tomas. Soit aller plein sud directement vers Galbar en traversant les grandes plaines, soit prendre plus à l'ouest.

– Quelle est la voie la plus sûre? questionna Colin.

– La route sud est plus rapide, intervint Dennis, mais la probabilité de croiser des patrouilles aussi plus grande. Là se trouvent les plaines fertiles qui servent à nourrir les hôtes des Rogons. Autant dire que la zone pullule de troupes.

Machinalement, Colin caressa l'étui du poignard qu'il portait toujours à la ceinture.

– L'ouest, poursuivit Dennis, est très peu peuplé. Vous serez plus tranquilles. Mais le trajet est plus long, et il faudra franchir ceci.

Il indiqua un trait épais qui balafrait la carte d'est en ouest.

– De quoi s'agit-il? s'inquiéta Colin.

– D'une faille, étroite et profonde, réputée infranchissable. Pour l'atteindre, vous devrez dépasser une succession de collines, traverser des régions accidentées où règne un climat rude sans cesse changeant, franchir des cols de haute altitude.

Sans quitter la carte des yeux, Colin se gratta la tête.

– Tu en penses quoi Tomas? dit-il enfin.

– Avec nos Ilys, nous serons six. Ce ne sera pas suffisant pour affronter des patrouilles armées. Nous prendrons donc la voie ouest. Des cordes nous permettront de passer l'obstacle, affirma-t-il avec détermination malgré ses doutes.

– Et nos chevaux ? demanda Colin.

– Nous devrons les abandonner, précisa Tomas.

De son doigt, Colin suivit le trajet envisagé par Tomas, réfléchit quelques secondes puis annonça :

– C'est d'accord, nous irons par l'ouest.

∞ Tu te sens prêt à partir ? vibra Mex à l'intention de Jegg, l'Ilys de Colin.

∞ Oui.

∞ Et l'idée de te rendre à la forteresse rogon t'enthousiasme ?

∞ Oui, fit-il, sans excès vibratoire.

Sa structure avait le même aspect que ses propos. Une ampleur honorable, une surface lisse et luisante, une blancheur irréprochable. Jegg était avant tout un combattant. Ordre, rigueur et sens du devoir. Ce fut tout ce que Mex put capter de l'Ilys qui habitait l'ombre de Colin.

– Je suis heureux que tu aies accepté de m'accompagner, confia Tomas à Colin.

– Je ne voulais pas manquer les combats à venir.

– Et Louise ? s'inquiéta Tomas.

Colin posa ses yeux sombres sur l'horizon.

– Louise est une femme extraordinaire, et je l'aime. Mais j'ai offert ma vie à la cause du peuple almar. Je veux un avenir pour nos enfants. Louise le savait dès le départ, je l'avais prévenue. Je combattrai tant que nous ne les aurons pas vaincus.

Ils échangèrent un bref regard de connivence.

– Il s'agira aussi de retrouver Lylas, précisa Tomas.

– Ce que je fais pour Lylas, je le ferais pour Louise, et elle en est consciente, compléta Colin avec un petit sourire en coin.

– Bien, je vois que vous êtes d'accord, déclara Dennis en s'asseyant dans le fauteuil à bascule.

Tomas se raidit. Ce fauteuil avait été celui de Rose Mama, et il supportait mal de le voir occupé par une autre personne.

Il s'apprêtait à lâcher une remarque quand un toni-truant : « Yes, we caaaaan ! » envahit l'espace.

8

Gustave posa son sac et tenta de remettre de l'ordre dans ses cheveux ébouriffés. Il portait toujours cette barbe de trois jours qui dissimulait à peine ses joues creuses et son menton osseux. Il s'approcha de Tomas, lui fit une accolade.

– Content de vous revoir. Excusez mon arrivée tapageuse, je ne sais pas ce qui m'a pris de hurler. Mes réactions parfois me dépassent. Alors, quoi de neuf ici?

Tomas écarquillait des yeux dubitatifs à l'idée de faire équipe avec lui. Cependant il entreprit d'une voix posée de lui relater les événements des derniers mois.

– Les patrouilles ennemies sont nombreuses...

– Oui, j'ai dû en éviter quelques-unes pour arriver jusqu'ici. Ces bandits sanguinaires veulent tout contrôler et tout dominer. Je ne comprends pas cette soif de pouvoir.

43

– … nous nous apprêtons à faire face à une attaque d'envergure, expliqua Tomas. La dernière, il y a trois mois, a montré l'insuffisance de notre préparation. Ils ont bien failli nous battre. Ils ont enlevé Lylas. J'ai besoin de vous pour la retrouver.

– Vous pouvez compter sur moi, s'enflamma-t-il.

– Merci Gustave. Depuis, poursuivit Tomas, nous avons bâti des lignes de défense et formé des troupes. Et… Rose Mama nous a quittés.

Le visage de Gustave s'assombrit. Il saisit les mains de Tomas et les serra longuement dans les siennes.

– Une femme formidable, qui m'a accueilli comme personne ne m'a jamais accueilli. Et moi qui arrive en criant. Je suis vraiment désolé.

Trop ému pour lui répondre, d'un mouvement de tête Tomas lui exprima sa gratitude puis l'invita à entrer dans la maison.

Bem, l'Ilys de Gustave, suggéra à son hôte de s'approcher des jumeaux afin qu'il puisse communiquer avec le Grand Commandeur et son Haut Conseiller.

∞ Vous avez là un bon p'tit gars, commenta-t-il. J'espère que sa Majesté et son éminence grise en sont conscientes.

∞ Nous en sommes tout à fait conscients, répondit le Grand Commandeur en tentant de cacher son exaspération.

∞ Parfait, s'amusa Bem.

∞ Votre mission consistera à collecter le maximum d'informations sur l'état des troupes rogons et à libérer cette fille dont l'hôte de Mex s'est épris, énonça le Grand Commandeur.

∞ Ce n'est pas tout, intervint le Haut Conseiller. Vous devrez aussi ramener Mazz et son hôte, Elliot. Nous supposons qu'ils se trouvent dans la forteresse rogon.

Un lourd silence s'abattit. Mex frémit. Mazz, son frère, son ennemi.

– Mazz ? répéta Tomas, surpris.

∞ Oui, et son hôte, Elliot, précisa Mex.

Tomas sentit un nouveau poids peser sur ses épaules. La mission devenait de plus en plus complexe.

– Pourquoi ? finit-il par demander.

∞ Mazz est à l'origine un Almar. C'est Mölg qui l'a élevé dans la haine de ses frères. Nous ne pouvons le laisser entre les mains des Rogons.

9

La peur réveilla Lylas en sursaut. La voix menaçante de Gurvan résonnait dans son esprit. Elle était
pourtant seule.

Les ténèbres qui l'entouraient favorisaient l'émer-
gence de souvenirs qui prenaient le pas sur ses rêves
d'étendues verdoyantes baignées par le soleil, bruis-
santes des chuchotements incessants de la nature et
rehaussées par la majesté des arbres poussant leur
cime à travers le ciel.

Elle donna quelques coups sur le sol, cherchant
à réveiller la présence sous ses pieds, à lui signifier
qu'elle était là, prête à établir le contact.

Comme les fois précédentes, elle perçut des pas,
légers.

Elle frappa une nouvelle fois le sol. Trois coups,
un silence, deux coups, nouveau silence, encore
trois coups. Puis elle attendit.

Ses mains lui renvoyaient toujours les mêmes informations. De faible corpulence, nourri par la rage, engagé dans une ronde sans fin. Un homme ? Une femme ?

Elle s'inquiéta de son incapacité à trancher. Ses facultés étaient-elles amoindries ?

Elle repensa aux siens. Leurs traits défilèrent dans son esprit. Son attention se fixa sur le souvenir de son frère et de sa sœur.

« Madenn et Tenean »

Elle sombra dans une nostalgie poignante. Elle se remémora la douceur de leurs chevelures, la chaleur de leur peau. La veille de son départ, elle les avait humés, cherchant à emporter en elle un peu d'eux. Elle avait pris leurs mains dans les siennes, les avait serrées. Leurs vibrations parcouraient encore sa chair.

Elle s'abandonnait au flot de ses pensées douloureuses quand elle perçut une série de trois coups légers, une autre de deux, et enfin une série de trois coups.

« Un membre de ma tribu ? »

10

La corne de brume indiquant la fin de la période de veille retentit au loin. De sa table de nuit, Tomas sortit les deux cristaux qui avaient appartenu à ses parents. Il glissa le bleu dans sa poche et mit l'autre dans son sac. En les plaçant au soleil de manière à ce que la lumière qui les traverse touche les ombres, il pourrait à tout moment détecter si celles-ci accueillaient des Almars ou des Rogons. Il attrapa ensuite son couteau, tira la lame de son fourreau, et de son pouce en vérifia le tranchant. Satisfait, il la replaça dans son étui et l'accrocha à sa ceinture. Il saisit son sac et gagna l'extérieur.

Devant la maison, aux côtés de trois chevaux brun foncé arborant fièrement une longue crinière noire, Gustave et Colin l'attendaient en silence. Dennis était là lui aussi.

Tomas les salua, puis inspecta le chargement de cordes, de couvertures et de vivres.

Dennis s'approcha.

– Sois prudent et à bientôt, lui glissa-t-il.

En guise de réponse, Tomas lui adressa un sourire confiant, qui tranchait avec son bouillonnement intérieur. La pression qui l'habitait était telle qu'il avait peu dormi, et ses rêves avaient été peuplés de créatures sans visage qui tantôt le pourchassaient, tantôt volaient à son secours.

Après une longue accolade avec Dennis, il monta en selle. Son cheval tourna nerveusement sur lui-même, se cabra. Tomas tira fermement sur les rênes en lui caressant l'encolure, et l'animal se calma.

– C'est ça, doucement, tout va bien se passer, lui murmura-t-il à l'oreille.

D'un coup de talons, il le mit au trot, suivi de Gustave et Colin.

Le campement s'éveillait. Certains rentraient de leur tour de garde, d'autres se préparaient pour une séance d'entraînement au maniement des armes. Sur leur passage, les soldats leur adressèrent de petits signes amicaux.

Quand ils franchirent la palissade, Tomas ferma un instant les yeux. Des sentiments confus l'habitaient : un mélange d'espoir, d'impatience et de peur.

Ils empruntèrent le chemin des collines. L'air était empli du parfum des lavandes en fleur.

– Faisons une courte halte, annonça Tomas à l'approche de la maison de Lylas. Attendez-moi ici.

Il pénétra dans la pièce principale. À cet instant, un vif courant d'air s'engouffra par la porte ouverte, l'échevela et emporta les premières fleurs fanées du romarin.

Il les regarda s'envoler et s'échapper par la fenêtre. Il voulut y lire un présage favorable. Il se pencha sur l'arbrisseau, cueillit une branche, qu'il glissa dans sa poche avant de ressortir.

– Allons-y, commanda-t-il.

La petite troupe se remit en route. Colin, désigné éclaireur par Tomas, chevauchait quelques dizaines de mètres en avant. Gustave se tenait à côté de Tomas. Le soleil projetait leurs ombres devant eux.

Auprès des Ilys, Bem se laissait aller à quelques confidences.

∞ La vie de garnison, très peu pour moi, confiat-il à Mex, je préfère la liberté. Et puis la compagnie de Sa Majesté et de son éminence grise m'est insupportable. Ils déprimeraient un bataillon de clowns ces deux-là. Moi, je préfère garder le sourire. Tu vois, Mex, bien avant de vivre dans l'ombre de Gustave, je vivais dans celle d'un homme dur, hermétique à toute suggestion, très solitaire. J'ai passé plusieurs décennies seul, sans pouvoir échanger avec lui. Un véritable homme des cavernes.

∞ Un quoi ?

∞ Cro-Magnon, tu ne connais pas ?

∞ Euh...

∞ Peu importe. Mais un jour, n'y tenant plus, je me suis extirpé de cette prison que constituait mon ombre. Je suis resté en état de dormance durant des siècles avant de retrouver enfin un hôte et ma liberté.

∞ Pourquoi me racontes-tu cela ?

∞ Certains prétendent que je suis fou. Moi, je suis juste heureux d'être en vie. Faire le pitre n'empêche pas d'agir sérieusement.

Tandis qu'il se remémorait les excès de Bem, Mex capta la présence d'un Ilys un peu plus loin à couvert. Sa structure se contracta puis reprit sa taille normale quand il réalisa qu'il s'agissait d'un Almar.

∞ Tomas, quelqu'un arrive, prévint-il.

À une centaine de mètres devant eux, une silhouette jaillit soudain des buissons. Tomas porta la main à son couteau, qu'il lâcha aussitôt.

– Helenn ! Que faites-vous là ? s'écria-t-il.

– Je viens avec vous, annonça-t-elle d'une voix ferme.

11

Elle se tenait face à eux, les rênes de sa monture à la main, un poing sur sa hanche. Elle avait raccourci ses cheveux. Sa mâchoire serrée et son regard déterminé durcissaient un peu plus les traits de son visage.

– Il n'en est pas question, s'opposa fermement Colin.

– Il s'agit d'Elliot, mon fils, alors je viens.

– Je ne crois pas que ce soit une bonne idée, tempéra Tomas d'une voix qu'il espérait mesurée.

– Qui est cette dame ? s'inquiéta Gustave.

– Bem s'il te plaît, guide-le à l'écart.

Aussitôt Gustave s'éloigna de quelques mètres, à sa plus grande surprise.

– Comment as-tu su que nous partions chercher Elliot ? s'enquit Tomas.

Helenn fit un pas en avant.

– Tout ce qui concerne mon fils me concerne. D'autres le pensent aussi, qui m'informent.

– Qui ? interrogea Colin, méfiant.

– Je n'ai pas à me justifier. Mon fils a été enlevé alors qu'il n'était qu'un enfant. Hector en a fait son second, à la solde des Rogons. Je me suis juré de le délivrer de son emprise.

– Je sais, mais… tenta Tomas.

– Je suis sa mère.

– Ne l'écoute pas, insista Colin. Elle risquerait de faire échouer l'opération.

– À force de rechercher mon fils, j'ai collecté des informations qui vous seront utiles.

– Il s'agit d'une ruse, persista Colin. Son Ilys a trahi une fois, il recommencera.

L'obstination de Colin irritait Tomas et le plongeait dans le doute. Il extirpa le cristal de sa poche, le mit dans le soleil et balaya d'un rayon l'ombre d'Helenn. Un éclair d'un orangé flamboyant en surgit. L'Ilys d'Helenn appartenait sans équivoque à leur camp.

Tomas fixa Colin pour jauger sa réaction. Il vit son visage se figer puis se durcir.

– Les ordres étaient clairs, insista-t-il. Trois pour mener la mission. Si l'information remonte jusqu'au Grand Commandeur…

Tomas comprit que sa légitimité de chef allait se jouer là et qu'il n'aurait pas de seconde chance.

– Helenn peut être une chance pour nous, plaida-t-il. L'éclair qui a jailli de son ombre est sans ambiguïté. Et puis, comment le Grand Commandeur pourrait-il apprendre qu'elle nous accompagne ? Quel est ton avis Mex ?

∞ Je suis d'accord avec toi, répondit-il.

Mex savait qu'en agissant ainsi ils désobéissaient aux ordres. Ils étaient donc condamnés à réussir.

La combativité de Tomas monta d'un cran, balayant la crainte des reproches qu'il essuierait à son retour.

– Je maintiens mon opinion, répéta Colin, mais je me plierai à ta décision, ajouta-t-il face à la détermination de son ami.

Tomas chercha le regard d'Helenn.

– Tu viens avec nous, trancha-t-il d'une voix ferme.

12

Chaque série de coups donnée par Lylas sur le sol recevait en écho une série identique. Elle hésita un instant, puis enchaîna une séquence au rythme plus complexe. Depuis combien de temps n'avait-elle pas joué cet enchaînement?

Il y eut un silence. Elle appuya un peu plus fort ses mains sur le sol pour mieux en capter les vibrations. En guise de réponse, elle n'obtint que quelques coups maladroits.

Lylas fut soulagée. Il ne s'agissait donc pas d'un membre de sa tribu.

Elle se lança dans une nouvelle série de coups, plus simple et sans la moindre signification. Deux coups, quatre coups, un coup. Cette fois, elle reçut une réponse identique. Une certitude s'imposa. Il s'agissait d'une femme. Aussitôt une multitude d'images l'assaillirent. Et quand l'une d'elles correspondait aux vibrations perçues, Lylas la fixait dans son esprit, laissant petit à petit émerger une silhouette. Fine, grande, athlétique, encore jeune. Depuis combien de temps cette femme était-elle prisonnière ?

« Longtemps, trop longtemps. Elle est épuisée malgré la rage qui la nourrit »

Elle enchaîna les coups, guetta les vibrations de ses réponses. Un nouveau détail la frappa. Elle distingua un...

« Déséquilibre »

Elle tenta d'émettre des hypothèses, chercha une image à former, mais rien dans sa mémoire ne permettait d'habiller ces mots.

Que signifiait cette impression de déséquilibre ?

L'instant d'après, elle capta une sensation d'insupportable douleur à l'épaule.

13

Conforté dans sa contrariété par son Ilys, Colin imprimait un rythme soutenu à sa monture. Car Jegg était furieux. L'opacité de sa structure en témoignait. La présence d'Helenn et de son Ilys allait compliquer la mission confiée par le Haut Conseiller, mission dont même son hôte n'était pas informé. Pour mettre toutes les chances de son côté, il devait donc continuer à pousser Colin à rejeter Helenn.

Derrière eux, Tomas, Helenn et Gustave chevauchaient côte à côte.

À mesure qu'ils descendaient vers le sud, la nature était plus verte, plus dense. Les arbres s'élançaient plus haut vers le ciel.

Helenn flatta l'encolure de son cheval avec inquiétude. Il montrait déjà des signes de fatigue. Gustave, lui, affichait une complète désinvolture. Il sifflotait toujours le même air entêtant et s'enchantait de tout.

– Regardez ces papillons comme ils sont colorés.
Et ces fleurs. La nature nous gâte. Savez-vous que,
sans eux et sans les abeilles, il n'y aurait plus de vie
sur terre ? Plus d'abeilles ni de papillons, plus de fer-
tilisation, plus de graines, plus de plantes. Et plus de
plantes... plus d'animaux, et donc plus d'hommes.
L'humanité ne tient qu'à un fil. *Humanité* est l'anagramme de *humaient*. Sentez tous ces parfums que
la nature nous offre. N'est-ce pas merveilleux ?

Tomas huma machinalement l'air. Il était chargé
de mille parfums subtils, plus légers et plus frais que
ceux de sa garrigue. Mais tellement moins enivrants.

Un élan de nostalgie lui empoigna le cœur, qu'il
s'efforça de refouler. Sa vie paisible aux côtés de
Rose Mama, hors des problèmes du monde et loin
de cette guerre terrible, appartenait au passé. Un
passé qui lui sembla à cet instant presque irréel,
englouti dans l'abîme du temps. Il posa alors ses
yeux sur l'horizon. Au-delà, Lylas l'attendait.

Plus tard, quand il s'aperçut que le cheval d'Helenn peinait à suivre le rythme, il ordonna une
pause. D'un regard, elle lui adressa un remerciement
auquel il ne répondit pas.

Gustave attrapa sa gourde, la tendit à Helenn.
Sous prétexte de faire le point sur leur trajet, Colin
demeura à l'écart, scrutant les collines boisées qui
barraient le paysage.

– Nous pouvons les atteindre aujourd'hui, déclara-
t-il. Il sera facile de s'y cacher pour dormir.

Plus que la discrétion, Colin cherchait à prouver à
Tomas qu'Helenn les ralentirait. L'état de son cheval
ne lui permettrait pas de parvenir là-bas.

Tomas resta silencieux un instant. Contredire Colin en organisant un bivouac précoce risquait de le braquer un peu plus. Aussi il décréta :

– Si nous profitons de notre pause pour nous restaurer, nous pourrons même dépasser ces collines.

Colin s'assit à l'écart. Un sourire de satisfaction éclaira son visage. Celui d'Helenn demeura impassible.

Bem, l'Ilys de Gustave, fut chargé par Mex de monter la garde. Il plaça sa structure en alerte.

Tomas détacha les sacoches contenant la nourriture, donna à manger aux chevaux tandis qu'Helenn étendait une couverture sur le sol quand, soudain, Bem lança une mise en garde qui fut relayée par tous les Ilys.

Chacun s'immobilisa, aux aguets, prêt à se battre ou à fuir si cela devenait nécessaire.

Rien autour d'eux ne trahissait la moindre présence humaine.

∞ Ils se dirigent vers nous, informa Bem. Ils sont deux.

Tomas fit un signe à Colin qui se rapprocha doucement du groupe, son couteau à la main.

Ils perçurent un craquement, puis des bruits de pas.

∞ Ce sont des Almars, annonça l'Ilys.

Aussitôt, la tension retomba. Au moment où Tomas et ses compagnons rengainaient leurs armes, deux solides gaillards apparurent. Le plus âgé avait les cheveux ras et une barbe fournie. L'autre, qui le dépassait d'une tête, affichait un visage rond et jovial malgré la cicatrice qui barrait sa joue de l'œil jusqu'au menton.

Ils approchaient d'un pas décidé, les mains ostensiblement éloignées de leurs poignards.

– Bonjour, lança le plus jeune.

Tomas, méfiant, braqua dans un geste vif le cristal sur leurs ombres. Deux éclairs orangés en jaillirent.

– Bonjour, les salua-t-il. Que faites-vous par ici ?

– Nous nous rendons au campement almar, répondit le plus jeune.

– Nous en venons, précisa Colin en leur tendant la main.

– Mon nom est Braeden, reprit l'homme en la serrant, et lui, c'est Eddy.

– Voulez-vous partager notre repas ? proposa Gustave avec enthousiasme.

– Oui, c'est une bonne idée, acquiesça Eddy. Nous avons attrapé ceci en chemin.

De sa sacoche, il sortit une poule, qu'il exhiba fièrement.

– C'est parfait, je m'occupe du feu, indiqua Helenn.

Une gourde de vin circula de mains en mains.

– C'est mon père qui le fait, expliqua Eddy, c'est tout ce que nous avons pu sauver. Le reste a été volé par les milices rogons qui harcèlent les paysans et pillent leurs récoltes. C'est pour cela que nous avons décidé de rejoindre le campement almar. Il représente notre seule chance de survie.

La poule rôtie fut vite engloutie. Quelques fruits secs complétèrent le repas. Puis vint le moment de se remettre en route.

De son pied, Colin étouffa les dernières braises, tandis que Tomas et Helenn dénouaient les brides de leurs montures.

– Votre cheval a un problème, observa Braeden de sa voix rauque.

– Oui, il boite depuis ce matin, précisa Helenn.

Sans un mot, il s'approcha, releva la jambe arrière gauche et du doigt indiqua le sabot.

– Il y a un fragment de pierre coincé. Il faut le retirer avant qu'une plaie ne se forme et s'infecte, sinon votre cheval est condamné.

Joignant le geste à la parole, Braeden dégaina son couteau et de la pointe gratta le sabot.

– Où avez-vous trouvé cette arme? s'écria subitement Helenn.

– Pardon? lâcha Braeden en se redressant.

– Cette arme, où l'avez-vous trouvée? reprit-elle plus sèchement.

Surpris par son ton, Tomas approcha.

– Helenn, que se passe-t-il? la pressa-t-il.

– Cette lame a été forgée dans la forteresse rogon, expliqua-t-elle en s'écartant.

Alerté, Mex observa les réactions des Ilys des deux hommes. Ils échangèrent une rapide vibration d'alarme qu'il parvint à capter. Celle-ci secoua sa structure.

∞ Ce sont des Rogons, vibra Mex à destination de Tomas. Ils nous ont trompés.

Dans l'instant Tomas dégaina son couteau. Ses compagnons firent de même. Colin se rua sur Eddy, qu'il devança. La pointe de son arme s'enfonça dans son côté et l'homme s'écroula dans un râle. Son Ilys, pour ne pas disparaître avec lui, s'extirpa de son ombre et se glissa sous la racine d'un arbre voisin afin d'échapper au rayonnement solaire. Mais

Braeden réagit tout aussi vite. Il saisit Gustave par le cou et appuya le tranchant de sa lame sur sa gorge.

– Lâchez vos armes ou vous pourrez dire adieu à votre compagnon, menaça-t-il.

Le temps sembla se figer.

Braeden appuya un peu plus fort. Un mince filet de sang s'écoula.

Tomas, face à la détermination de leur adversaire, abdiqua.

– Laissez-lui la vie sauve. Lâchez vos armes, ordonna-t-il à ses compagnons.

Il déposa son couteau sur le sol. Colin laissa à son tour tomber le sien et du pied le poussa en direction de Braeden. Helenn hésita. D'un signe, Tomas lui intima d'obéir, ce qu'elle fit.

Braeden relâcha son étreinte et bondit pour se mettre en selle. Bem en profita pour faire exécuter quelques pas de moonwalk à Gustave qui s'anima en hurlant :

– Beat it !

Profitant de l'effet de surprise, Tomas, d'une main sûre, ramassa son couteau par la pointe, arma son bras et le lança en direction de Braeden. Avant qu'il ait eu le temps d'esquiver, la lame se planta dans sa nuque. Comme son comparse quelques minutes plus tôt, l'homme s'écroula au sol.

N'ayant pas de zone d'ombre à proximité, son Ilys se retrouva exposé aux rayons du soleil. Dans une vibration stridente, sa structure gonfla subitement, prit des proportions inquiétantes puis disparut dans une explosion sourde.

Tomas s'approcha, examina brièvement l'homme. Il était mort. Il se tourna vers Helenn.

– Comment as-tu su ? lui demanda-t-il.

– Mon père était forgeron, expliqua-t-elle. Toute mon enfance, je l'ai regardé travailler. Et il m'a initiée à l'art de la forge. Les hôtes des Rogons effectuent la trempe de la lame dans de l'huile minérale pure. Cela laisse des traces noirâtres. Mon père plongeait les siennes dans un mélange d'huile de paraffine et de cire d'abeille. Un matin, une milice rogon a fait irruption dans la forge. Mon père a juste eu le temps de me cacher derrière le tas de bois. L'instant d'après, ils lui tranchaient la gorge. J'ai vu briller dans la lumière la lame qui l'a tué. Je n'ai jamais oublié son aspect.

– Ta vigilance a permis d'éviter que ces hommes s'infiltrent parmi nos troupes, la remercia Tomas.

Mais sa préoccupation était ailleurs. Un danger plus grand les guettait. Il s'en ouvrit à ses compagnons.

– Ce qui m'inquiète, c'est que des Rogons parviennent à se faire passer pour des Almars et à déjouer le test du cristal.

– Et si l'Ilys d'Helenn avait procédé de la même manière ? insinua Colin.

– Ne vient-elle pas de te prouver sa loyauté ? rétorqua Tomas.

Sans répondre, Colin rengaina son arme.

∞ Le mieux est d'interroger le Rogon avant qu'il ne sombre dans un état complet de dormance, proposa Mex.

– Vas-y, l'encouragea Tomas.

∞ Si tu ne nous révèles pas la manière dont vous êtes parvenus à vous faire passer pour des Almars, mon hôte arrachera cette racine pour te livrer aux rayonnements du soleil, menaça-t-il.

L'Ilys ne broncha pas. Sa surface fripée trahissait sa peur extrême.

∞ Tu veux finir comme ton compagnon ? renchérit Mex en suggérant à son hôte d'armer son pied pour faire sauter la racine.

– Mort, il ne nous servirait à rien, intervint Tomas. Nous allons le ramener à notre campement. Le Grand Commandeur avisera à son sujet. Il trouvera le moyen de le faire parler.

Il se tourna vers Colin.

– Toi seul peux le ramener, lui signifia-t-il. Tu es solide, et ton Ilys détient le savoir des transfacteurs.

Colin s'approcha avec réticence du Rogon. Tomas souleva doucement la racine. Pour créer l'ombre nécessaire, Helenn et Colin s'étaient placés autour de lui alors que Bem maintenait Gustave à l'écart. Quand le Rogon eut pénétré dans l'ombre de Colin, celui-ci annonça :

– Poursuivez votre route. Je vous rejoindrai.

– Sois prudent, lui recommanda Tomas qui se souvenait de l'abattement qui l'avait saisi quand Blich avait intégré son ombre au côté de Mex.

∞ Tu étais gravement blessé, tempéra Mex qui percevait l'inquiétude de son hôte. Colin, lui, est en pleine forme. Il parviendra au campement avant que les deux Ilys aient épuisé ses forces.

Colin se mit en selle. Son Ilys vibra de satisfaction. La distance qui les séparait du campement ne lui avait pas permis d'informer le Haut Conseiller de la tournure que prenait la situation. Grâce à cet imprévu, il pourrait même recevoir de nouvelles consignes.

14

Tomas regarda Colin s'éloigner dans un panache de poussière. Quand il eut disparu derrière un rideau d'arbres, il fit signe à ses compagnons de se remettre en selle.

Après plusieurs heures de chevauchée, ils atteignirent la région des collines. Les premières étaient couvertes de vastes forêts. Ils évitèrent les sentiers dégagés au profit des sous-bois. Leur progression en était ralentie, mais sans Colin Tomas n'imaginait pas pouvoir affronter une patrouille rogon. Que valait Gustave au combat? Et Helenn? Même si elle avait tué Hector de sang-froid, serait-elle efficace dans un affrontement collectif violent?

Les collines suivantes étaient dénudées. Ils les franchirent une à une, tantôt en les contournant, tantôt en empruntant le chemin des crêtes. De là-haut, ils bénéficiaient d'un large point de vue sur les longues pentes pelées parsemées par endroits de petits bosquets.

Ils trottaient à mi-flanc d'une colline à la végétation rase quand soudain une vingtaine de corbeaux croassant surgirent sur leur gauche depuis le sommet arrondi.

Alerté, Tomas jeta un œil inquiet vers le ciel et interpella Mex.

– Des hommes approchent. Qui et combien sont-ils?

Quelques secondes plus tard, Mex capta de faibles vibrations rogons.

∞ Il s'agit d'une patrouille ennemie, ils sont cinq ou six, précisa-t-il.

– Loin?

∞ À environ six cents mètres derrière la crête.

– Ils ne nous ont pas détectés? s'enquit Tomas.

∞ Non, leurs vibrations sont sereines.

Rassuré, Tomas repéra un bouquet d'arbres un peu plus bas, suffisamment touffu pour les dissimuler. Il lança son cheval au galop. Alertés par leur Ilys, Helenn et Gustave le suivirent. Mais le cheval d'Helenn peinait, près d'une trentaine de mètres en arrière.

– Mex, préviens Nix que je vais me positionner à la hauteur d'Helenn et qu'il devra l'aider à sauter sur la croupe de mon cheval.

∞ Je transmets, vibra Mex.

Tomas fit demi-tour, talonnant avec vigueur sa monture. À l'approche d'Helenn, il fit de nouveau demi-tour, ralentit l'allure, la laissa parvenir jusqu'à lui.

– Sautez! lui intima-t-il avec force.

Il la sentit hésiter, remarqua son angoisse.

– Vite !

∞ La patrouille va passer la crête, le pressa Mex.

Tomas attrapa la main qu'Helenn lui tendait et la tira de toutes ses forces alors qu'elle ramenait sa jambe par-dessus sa selle.

Une fois qu'elle fut installée derrière lui, il s'élança. Le cheval d'Helenn, allégé, suivait désormais le rythme.

Ils ne se trouvaient plus qu'à une vingtaine de mètres du bosquet quand Mex annonça :

∞ Ils y sont !

Tomas jeta un rapide coup d'œil derrière lui, ne les vit pas. Enfin, ils furent à couvert sous les arbres. Il sauta à terre tandis que Gustave se précipitait pour aider Helenn à descendre. Puis, pour forcer les chevaux à se coucher, Tomas tira sur les brides.

– Posez vos têtes sur leur encolure afin qu'ils restent calmes, ordonna-t-il à mi-voix.

Alors que Tomas, sa respiration calée sur celle de son cheval, lui caressait doucement le front, cinq silhouettes se détachèrent sur le ciel bleu au-dessus de la crête. Le cavalier en tête de patrouille stoppa sa monture, embrassa le versant du regard, le scruta longuement puis remit ses hommes en route.

Tomas ne les quitta pas des yeux jusqu'à ce qu'ils disparaissent. Dans l'attente du signal de Mex, ils demeurèrent immobiles.

∞ C'est bon, finit-il par lâcher.

Helenn soupira de soulagement.

– Savez-vous que ces arbres sont des camélias ? intervint Gustave, le ton grave.

Les regards d'Helenn et de Tomas se braquèrent sur lui.

– Avec les lettres de *camélia*, on peut former le mot *amicale*. On peut qualifier leur protection ainsi. La protection amicale du camélia.

Helenn éclata d'un rire franc, aussitôt suivie par Tomas. Constatant qu'ils n'étaient pas moqueurs, Gustave se joignit à eux.

– Établissons notre bivouac ici, annonça Tomas. Nous avons besoin de repos.

Aussitôt il dessella les chevaux tandis qu'Helenn, aidée de Gustave, coupait des branchages pour parfaire leur cache et masquer la lumière.

– Regardez, il y a même des champignons. Grillés, ils seront excellents, s'enthousiasma Gustave.

Tomas intervint aussitôt :

– Non, pas de feu, ce serait imprudent.

– Eh bien, nous les mangerons crus.

Après avoir avalé quelques fruits secs, Tomas se tourna vers Helenn.

– Pour espérer convaincre Elliot de nous suivre, nous devons savoir qui il est. Parlez-nous de lui, demanda-t-il d'une voix douce, conscient qu'il allait réveiller chez elle des souvenirs douloureux.

Elle prit une longue inspiration. Ses yeux s'embuèrent.

– Cela fait tant d'années que je ne l'ai vu. Il a ton âge, dit-elle en s'adressant à Tomas dans un sourire triste. On m'a enlevé un enfant, c'est un homme que je retrouverai.

Elle laissa planer un silence que ni Tomas ni Gustave n'osèrent rompre, avant de reprendre avec tendresse :

– C'était un enfant très vif, très intelligent aussi, et résistant. Un excellent chasseur. Il pouvait partir seul durant plusieurs jours pour traquer un animal, et ne revenait qu'après l'avoir capturé. Tout le monde disait qu'il avait une âme de meneur et de combattant. À la mort de son père, il est devenu plus solitaire encore, et surtout plus dur. C'est pour cela qu'Hector l'a fait kidnapper, conclut-elle le visage sombre.

L'Ilys d'Helenn compléta le récit.

∞ Non seulement Hector et Mölg, son Ilys, l'ont enlevé, mais ils ont placé un Rogon dans son ombre. Elliot est depuis l'hôte de Mazz.

À cette évocation, la surface de Mex se fripa.

∞ Avant de gagner le camp des Rogons, Mazz était un Almar, réagit-il avec force. Que sais-tu à son propos ?

∞ On dit que Mölg l'a façonné à son image. Le chef rogon en a fait une véritable machine de guerre.

Mex se contracta et vira au noir.

∞ La réputation n'est qu'une croyance que chacun transmet en la déformant et parfois en l'amplifiant, tempéra Bem.

73

Mex se rétracta un peu plus. Son origine commune avec Mazz serait-elle plus forte que la haine qui opposait les Rogons aux Almars? Il en doutait. Il évacua ces considérations personnelles pour se recentrer sur le but de leur expédition. Si le Grand Commandeur venait à disparaître, Mazz, en tant qu'aîné, serait son successeur de droit. Alors Mölg détiendrait toute la légitimité nécessaire pour asservir le peuple almar et éliminer les récalcitrants.

15

Au cours des trois jours suivants, ils traversèrent des terres montagneuses balayées par des vents tourbillonnants, parsemées de nombreux éboulis infestés de serpents qui fuyaient à leur approche.

Ils menaient avec précaution leurs chevaux, de peur qu'ils ne se brisent une jambe. Au-dessus de leurs têtes, de grands oiseaux de proie tournoyaient. Dans une ravine, leurs congénères se disputaient les derniers lambeaux d'une charogne.

Le moral miné par la très lente progression, chacun se réfugiait dans le silence. Tomas ressassait ses doutes et ses craintes. D'après leur allure, Colin aurait dû les rattraper. Sans lui, la mission devenait plus périlleuse encore. Se pouvait-il qu'il soit tombé sur une patrouille rogon et qu'elle l'ait fait prisonnier? La fatigue due au transport de deux Ilys n'avait-elle pas eu raison de lui?

Mex, lui, envoyait des ondes codées à destination de Jegg, qui demeuraient sans réponse.

Au passage d'un col, ils découvrirent une plaine désolée. Pas un arbre, pas un buisson, seulement çà et là quelques maigres touffes d'herbe et une série de blocs rocheux que venaient lécher par endroits de petits lacs. Tomas vit là l'endroit idéal pour établir un bivouac.

– Qui est partant pour un bon bain ? lança Gustave.

Animés d'une ardeur nouvelle, tous se mirent au galop, pressés de plonger dans cette eau claire.

Sur les berges, des échassiers lissaient leurs longues plumes blanches. Un blanc éclatant qui rappela à Tomas la chevelure de Lylas. Son cœur se serra, et il attrapa dans sa poche la branche de romarin qu'il porta à son nez.

Gustave fut le premier à se jeter à l'eau.

– Venez, cria-t-il. Elle est excellente. Saumâtre, mais tellement bonne.

Quand il vit les regards de Tomas et d'Helenn rivés sur l'horizon dans son dos, il se retourna.

Au loin, un énorme nuage ocre progressait dans leur direction.

– Des cavaliers ? questionna-t-il en regagnant la berge.

– Il s'agit plutôt d'une tempête de poussière. Nous devons nous abriter. Et vite !

Gustave remit son pantalon et sa chemise, trébucha en enfilant ses bottes.

Le nuage, aussi imposant qu'une montagne, fonçait droit sur eux, engloutissant le paysage sur sa trajectoire. Le vent se renforça, rugissant à leurs oreilles.

Les chevaux étaient nerveux, hennissant à pleins naseaux. L'un grattait le sol, tandis que les autres ruaient. Très vite, ils furent tous avalés par le nuage.

– Par là, cachons-nous derrière ce rocher, hurla Tomas.

L'intensité du vent augmenta encore, les obligeant à protéger leur visage. Tomas attacha solidement les rênes des chevaux à un bloc de pierre, puis vint se blottir près de ses compagnons. De son bras, Gustave serra Helenn contre lui. Tomas se sentit soudain seul. Ses pensées se tournèrent vers Lylas.

Par instants, des bourrasques chargées de sable les giflaient. Paniqué, le cheval de Gustave se cabra violemment et rompit son attache.

– Restez ici, intima Tomas, je vais le rattraper.

Courbé en deux pour résister au vent, il s'enfonça dans le nuage dense. Mais après quelques minutes de vaines recherches, il dut se rendre à l'évidence : jamais il ne retrouverait le cheval. Déçu, il fit demi-tour. Il n'avait parcouru qu'une cinquantaine de mètres, pourtant il ne parvenait plus à discerner le creux où s'étaient réfugiés ses amis. Une bouffée d'angoisse le submergea.

∞ Laisse-toi faire, vibra Mex. Bem va nous guider.

Mex s'accrocha à l'onde émise par l'Ilys, suggéra la bonne direction à Tomas et peu de temps après, ils furent de nouveau réunis.

– Alors ? hurla Gustave.

– Le cheval est perdu. Nous allons rester ici et attendre la fin de la tempête.

Ils s'abandonnèrent au vacarme du souffle du vent, chacun gardant pour soi ses inquiétudes, persuadé que le sort s'acharnait sur eux.

Quand après de longues heures les éléments s'apaisèrent enfin, les corps étaient raides et les âmes épuisées. Gustave se leva et tendit la main à Helenn. Il l'aida à secouer ses vêtements couverts de poussière.

Le sable avait pénétré jusque dans leurs sacs et leurs provisions. Les aliments craquaient sous les dents. La tempête avait redessiné le paysage autour d'eux, créant çà et là de hautes dunes. L'eau limpide des lacs avait laissé la place à un mélange boueux.

Le découragement gagnait Tomas. Ils ne trouvèrent aucune trace du cheval échappé. Pas plus de Colin. Leurs réserves s'épuisaient. Il se tourna vers Gustave qui sifflotait en rassemblant les affaires. Helenn capta son regard inquiet.

– Nous aurons besoin de son humanité au cours de ce voyage, tenta-t-elle de le rassurer.

Tomas lui adressa un sourire amer.

– Allons-y, lança-t-il d'une voix lasse.

Ils n'avaient plus que deux chevaux, dont celui d'Helenn particulièrement épuisé. Tomas la prit donc en croupe.

Durant les deux jours qui suivirent, ils mirent cap au sud. Plus ils progressaient, moins le soleil était haut dans le ciel, projetant des ombres étirées.

Ils franchirent des contreforts escarpés. Aux étroits défilés succédèrent des pentes vertigineuses qui menaient à des cols d'altitude où les sols étaient gelés. Le froid pinçait les parties de leur corps qui s'échappaient des couvertures dans lesquelles ils étaient enroulés. Helenn se serrait contre Tomas, les mains enfouies dans les poches de sa veste pour tenter de trouver un peu de chaleur.

De profondes ravines les obligèrent à effectuer un détour.

– Savez-vous que *ravine* est l'anagramme d'*avenir*? Celui qui tombera dedans en sera pourtant privé, nota Gustave, un sourire naïf ravivant ses traits fatigués.

– Et si vous nous parliez un peu de vous? l'enjoignit Helenn d'une voix douce.

– Moi? s'étonna-t-il. Ma vie n'est qu'une succession d'imprévus que j'ai renoncé à comprendre. À croire que quelqu'un ou quelque chose décide à ma place.

Mex interpella Bem.

∞ Ne devrais-tu pas apprendre à ton hôte l'existence des Ilys?

∞ Crois-tu que ce soit le moment? Nous sommes en guerre, dans une zone inhospitalière, nous nous apprêtons à nous glisser à l'intérieur de la forteresse rogon afin de libérer Lylas et enlever Elliot, et tu voudrais que je fasse passer Gustave du statut de réceptif à celui d'initié? As-tu seulement une idée de la manière dont il pourrait réagir?

Mex ne se sentit pas le courage d'argumenter. Il se demanda quelle serait sa vie si Tomas n'était pas un initié.

Il n'eut pas le loisir de s'appesantir sur la question. Devant eux, le paysage était fendu d'une profonde et béante crevasse dont les parois vertigineuses et lisses formaient de hauts murs infranchissables.

16

Tomas s'agenouilla, s'agrippa fermement à une racine puis se pencha au-dessus du vide. La faille était plus profonde qu'il ne l'avait imaginé. Une trentaine de mètres plus bas, au pied de parois verticales, grondait un torrent fougueux. Refusant d'inquiéter ses amis, Tomas réprima une grimace de dépit.

Gustave s'avança jusqu'à ce que la pointe de ses pieds tutoie le bord de la falaise.

– Je déteste le vide et pourtant je ne peux pas me retenir de m'en approcher, se désola-t-il.

Helenn, demeurée à distance prudente, questionna Tomas :

– Tu crois qu'on peut descendre par là ?

– Non, c'est trop abrupt.

– Pourquoi ne pas longer la faille pour trouver un accès moins périlleux ? proposa Gustave, toujours attiré par le vide.

– On part vers l'amont ou l'aval ? questionna Tomas en relevant la tête.

– Remontons en direction de la source. La rivière sera moins large, ainsi nous augmenterons nos chances de trouver un passage plus facile, commenta Gustave avec un geste sur la gauche.

Surpris par la pertinence de ses propres paroles, il chancela. Tomas et Helenn se précipitèrent, mains tendues pour le rattraper, mais alors qu'il allait chuter, il se rétablit d'une acrobatique pirouette.

– Vous avez vu ? Ouahou ! C'était... c'était...

– Mex, demande à Bem de se calmer, exigea Tomas. À ce rythme, il va rendre Gustave complètement fou.

∞ Je m'en occupe, obtempéra Mex.

Ils prirent donc la direction proposée par Gustave. Tomas espérait que Colin suivrait leur raisonnement. Seul, il marchait en tête, observant la paroi à la recherche d'un endroit praticable pour descendre dans la faille. Helenn et Gustave se tenaient éloignés du bord, sur les chevaux qu'ils devraient bientôt abandonner.

Tomas commençait à douter quand Mex annonça :

∞ Je viens de capter les ondes de Jegg. Colin se trouve un peu plus haut en amont.

Tomas ressentit un profond soulagement. *Enfin*, se dit-il.

Une dizaine de minutes plus tard, ils aperçurent Colin qui leur adressa de grands signes.

– Je suis là depuis hier! s'exclama-t-il quand ils le rejoignirent. Que faisiez-vous?

La fatigue due au transport des deux Ilys avait creusé son visage.

– Comment vas-tu? s'inquiéta Tomas.

– Bien. Mais héberger dans son ombre deux Ilys est une épreuve physique éprouvante. Je mesure ce que tu as dû endurer, avoua-t-il, du respect dans la voix.

– Qu'est devenu le Rogon? demanda Tomas.

– Le Grand Commandeur et son Haut Conseiller l'interrogent, raconta Colin. Ils cherchent à comprendre comment il parvient à vibrer comme les Almars pour vérifier si d'autres n'ont pas déjà infiltré nos troupes. Quand je suis parti, ils n'avaient toujours rien obtenu de lui.

– Comment t'y es-tu pris pour arriver ici avant nous?

– J'ai emprunté une voie plus à l'ouest. Périlleuse mais rapide. C'était le seul moyen de vous rattraper. En vous attendant, j'ai exploré les parages et trouvé plus loin un passage pour descendre dans la faille, ajouta Colin en indiquant de la main la direction.

Tomas se pencha. La clameur du torrent roulant ses flots tumultueux monta jusqu'à lui. L'eau était sombre, presque noire. De nombreuses fissures dans lesquelles poussaient des arbustes chétifs offraient autant de prises. À mi-hauteur, il y avait une corniche. Minuscule.

17

Après avoir noué une extrémité de la corde autour de sa taille, Colin bascula le bas de son corps dans le vide, à la recherche d'une prise. Tomas, Gustave et Helenn tenaient fermement l'autre extrémité, prêts à retenir leur ami si un faux pas le précipitait en contrebas.

Lentement, Colin descendit jusqu'à la corniche. Là, il tira deux fois sur la corde pour signifier à Gustave de le rejoindre. Grâce à Bem, celui-ci n'eut aucun mal à rejoindre son compagnon.

Au moment où Helenn allait s'élancer, Tomas lui tendit la main pour l'aider, mais elle la refusa. Elle progressa doucement, positionnant ses pieds dans les fissures que lui indiquait Colin. À mi-pente, son pied ripa sur une pierre qui chuta. Colin se plaqua contre la paroi pour l'éviter.

– Vous ne pouvez pas faire attention ? hurla-t-il. Vous auriez pu nous assommer, ou pire, nous précipiter dans le vide.

D'un geste de la main, Helenn s'excusa.

Quand elle atteignit la corniche, Tomas se prépara. Il fit passer la corde sous une racine, lança une extrémité à ses compagnons, s'attacha avec l'autre, puis entama sa descente, la respiration oppressée.

Il cala ses pieds selon les conseils de Colin, laissant à Mex le soin de parfaire leur positionnement.

À son tour, il atteignit la corniche, les muscles raidis par l'effort.

– Il faut continuer ainsi jusqu'au torrent, indiqua Colin alors qu'il tirait sur la corde.

La deuxième partie de la descente était rendue plus périlleuse encore par l'humidité qui montait désormais jusqu'à eux. L'épreuve nécessitait une concentration extrême des Ilys qui guidaient leurs hôtes.

Bem, le virtuose de la suggestion, s'en tirait le mieux. Pour un peu, il aurait conduit Gustave à cloche-pied.

Jegg agissait de manière plus mécanique. Chaque suggestion était imprimée avec force et conviction. Aucune recherche d'esthétisme ; seule l'efficacité comptait.

Quant à l'Ilys d'Helenn, il analysait en détail la situation avant chaque suggestion.

∞ Je préfère prendre mon temps, se justifia-t-il.

Mex s'était calé sur le rythme de son hôte. Il guidait Tomas qui, sans douter une seule fraction de seconde, assurait chaque prise. À cet instant, Mex et lui ne formaient qu'un. Cette pensée provoqua l'épanouissement de sa structure.

86

Là, coulé dans l'ombre de Tomas accroché à cette falaise à quinze mètres au-dessus de roches acérées, baignées par des eaux rageuses, Mex se sentit tout à coup parcouru par une incroyable onde de bien-être. Dans l'instant, ce fut la faute d'inattention. Le pied de Tomas glissa et il se retrouva pendu dans le vide, les mains agrippées à de fragiles saillies. Mex, surpris, propulsa le pied de son hôte sur le tronc d'un arbrisseau. Il guida ses mouvements pour qu'il se cale dans une anfractuosité. Soulagé, Tomas ferma un instant les yeux, puis reprit sa descente.

Ils parvinrent épuisés sur la rive.

Le torrent était plus profond et plus large qu'ils ne l'avaient estimé. L'eau s'écrasait sur les rochers qu'elle blanchissait d'écume, formant de vastes tourbillons prêts à tout emporter.

18

Lylas aurait aimé déceler une signification dans les vibrations qui montaient jusqu'à elle. Les suites de coups qu'elle frappait avaient un sens précis. Qui êtes-vous ? Depuis quand êtes-vous enfermée ? Comment vous appelez-vous ? Comment vous sentez-vous ? Mais les coups qui lui parvenaient en réponse étaient vides de sens.

Ses paumes martelaient le sol avec les mêmes codes que ceux qu'elle pressait au creux des mains des membres de sa tribu. Là où les paroles et les sons permettaient les discussions collectives, de simples pressions étaient utilisées pour des échanges plus personnels.

Elle se revit, ses doigts dans la main de Tenean, lui confiant ses peurs et ses doutes. Si Tenean était son jeune frère, elle l'avait toujours considéré comme son aîné. Elle se souvenait de la sensation procurée par ses cheveux soyeux, le grain très fin de la peau de ses joues, alors que celui de ses mains était plus épais et irrégulier. Elle passait de longues heures à presser ses paumes contre les siennes, parfois en bavardages inutiles, à éprouver la joie ou la douleur qui le traversait, à capter son humeur, sans recourir aux mots que tous auraient entendus. D'un instant à l'autre, les tensions, la chaleur, la texture de la peau de Tenean changeaient, fournissant autant d'informations à ses doigts et à son cerveau.

La silhouette de Gurvan revint la hanter. Lylas sentit son cœur s'emballer et ses yeux se mouiller. Elle serra ses poings, planta ses ongles dans ses paumes.

« Non ! »

Une série de coups la ramena à la réalité. Une série d'appels sans véritable sens qui lui laissa un goût amer. Celui de la solitude.

Jamais au cours des mois précédant sa captivité elle ne s'était sentie seule, même avant de décider que Tomas serait son ami, car il y avait les arbres, les oiseaux, toute cette vie dont le bruissement lui manquait tant. Mais aujourd'hui, leur évocation ne comblait plus son isolement.

Lylas se raccrocha au martèlement qu'elle percevait. Un bruit, pour seule et unique compagnie. Elle se concentra sur les forces qui guidaient les coups. Une image se forma soudain dans son esprit. Elle vit un corps, privé de son bras gauche. Des images de combat aussi.

19

Fouettés par les embruns, ils longèrent la berge à la recherche d'un passage praticable.

Colin avait insisté pour passer devant. De rocher en rocher, il remontait le cours du torrent, sondant du regard sa profondeur, testant par endroits la stabilité de pierres affleurant à sa surface, quand enfin il leur fit de grands signes.

– Ici le torrent est moins profond, hurla-t-il pour couvrir le fracas de l'eau.

– Je traverserai le premier, annonça Tomas en arrivant à sa hauteur, désireux de reprendre la main. Vous m'assurerez, ajouta-t-il en désignant Colin et Gustave.

Colin lui tendit une extrémité de la corde et confia l'autre à Gustave. Celui-ci s'assit entre deux rochers, cala ses deux pieds devant lui. Colin vint se positionner juste derrière. Ils passèrent la corde autour de leur buste.

Tomas s'engagea dans le torrent, luttant contre la forte pression du courant. Quand il eut de l'eau jusqu'à la taille, Gustave et Colin laissèrent doucement filer la corde, tandis que Mex guidait ses pas sur les pierres instables et glissantes.

Les flots impétueux s'écrasaient sur les rochers, bondissaient dans les creux, formaient des tourbillons furieux.

La nervosité de Tomas croissait à chacun de ses pas.

∞ Reste concentré, vibra Mex.

Soudain, son hôte vacilla. De ses bras, il rétablit l'équilibre, ancra son regard sur la berge opposée et reprit sa lente progression. Enfin il aborda la rive, les muscles tétanisés par le froid.

∞ On s'est bien débrouillés, commenta l'Ilys.

– Merci Mex.

Ce fut au tour de Colin, que Tomas allait assurer. Il noua la corde autour d'un rocher, cala fermement ses jambes puis lui fit signe d'entamer sa traversée.

Colin avait franchi un tiers de la largeur du torrent quand il glissa et disparut sous l'eau. Tomas serra aussitôt la corde qui fila entre ses mains, brûlant ses paumes. D'un geste rapide, il l'enroula autour de son avant-bras. Par intermittence, la tête de Colin apparaissait à la surface. Sur l'autre rive, Helenn hurlait, mais ses paroles se perdirent dans le fracas des eaux furibondes. Aussi les Ilys prirent le relais.

∞ Colin est aspiré par un tourbillon, annonça Nix. Laissez du jeu à la corde, sinon il va se noyer.

∞ Lâche du lest, commanda Mex à son hôte.

92

Alors que Tomas desserrait doucement son emprise, la corde fila brutalement entre ses mains dont la chair était à vif, lui arrachant un cri.

∞ Il faut tenir, ordonna Mex en jetant toutes ses forces dans les muscles de son hôte.

La douleur irradiait jusque dans ses bras, ses épaules et son dos.

Colin parvint à s'agripper à un rocher. De là, il gagna la berge où il toussa et cracha de longues minutes.

Un peu plus tard, Gustave et Helenn traversèrent sans encombre. Quand ils furent tous les quatre enfin réunis, Tomas se laissa gagner par le soulagement. Ils avaient réussi.

20

Tomas et Colin escaladèrent la vertigineuse paroi rocheuse, au sommet de laquelle un tapis d'herbe et de mousse les accueillit. De l'autre côté de la faille, leurs chevaux paissaient, indifférents aux périls qu'ils venaient de braver.

À l'aide de la corde, ils hissèrent Helenn puis Gustave.

Une fois au sommet, ce dernier jeta un regard de défi au torrent. Un sourire de fierté étira ses lèvres. Satisfait, il s'allongea au soleil pour se réchauffer.

– L'air semble plus léger de ce côté-ci de la faille, commenta-t-il.

– Léger? le reprit Colin, les yeux écarquillés. Mets-toi dans la tête que, de ce côté-ci de la faille, nous ne sommes plus que des proies chassées par nos ennemis.

Gustave arracha un brin d'herbe qu'il glissa dans sa bouche.

– Des proies, peut-être, mais avec ces lettres, nous pouvons former le mot espoir. Espoir de libérer Lylas, espoir de rendre Elliot à sa mère. Alors s'il faut être une proie, je suis partant.

– Merci, lui glissa Helenn dans un sourire. Heureusement que vous nous accompagnez.

Tomas s'approcha.

– Nous nous trouvons à deux jours de marche de Galbar, annonça-t-il. Nous devrons redoubler de prudence quand nous atteindrons les premières habitations et les premières patrouilles aussi.

Une fois secs et restaurés, ils installèrent le bivouac au creux d'un rocher. Malgré la lumière du soleil, ils ne furent pas longs à trouver le sommeil.

La journée suivante, le groupe progressa à bon rythme, quittant les montagnes pour des coteaux moins élevés derrière lesquels s'étendaient d'immenses plaines cultivées.

Les tensions avaient baissé d'un cran. Colin ne considérait pas encore Helenn comme un membre à part entière de l'équipe, mais il ne manifestait plus d'animosité à son égard.

À intervalles réguliers, Tomas appliquait sur ses plaies un peu des terres de Lylas. Puis discrètement, il portait la branche de romarin à son nez, convaincu que son odeur accélérerait sa guérison.

Alors qu'ils cheminaient le long d'un ruisseau tranquille, Gustave s'approcha de lui.

– Je ne suis qu'un vieux cow-boy solitaire, soupira-t-il. À croire que l'amour n'est pas fait pour moi. Si tu étais une femme, tu pourrais tomber amoureux de moi?

– Je ne sais quoi vous dire, répliqua Tomas, médusé. Demandez à Helenn, elle est plus qualifiée pour répondre à cette question.

– Mon problème, c'est qu'une partie de moi-même voudrait trouver une compagne, mais une autre, que je ne maîtrise pas, me pousse à fuir dès que j'éprouve la moindre attirance pour une femme. Quant à Helenn, pourquoi s'intéresserait-elle à un type dans mon genre?

– Et pourquoi pas? questionna à son tour Tomas. Gustave rougit.

– Vous avez énormément de charme, ajouta maladroitement Tomas.

– C'est vrai? Vous croyez?

– Euh, c'est ce qu'affirment les femmes, bredouilla-t-il.

– Les femmes? répéta Gustave en regardant autour de lui. Vous voulez dire... Helenn?

Et sans attendre de réponse, il alla cueillir une fleur de coquelicot sur un talus et l'offrit à celle qu'il rêvait de conquérir.

∞ Il ne manquerait plus qu'il veuille des enfants! se plaignit Bem.

∞ Il a le droit de vivre comme il l'entend, protesta Mex, la structure plissée par l'indignation.

∞ C'est moi qui tiens les manettes, rétorqua Bem. Je veux vivre libre... et tranquille. Vois ce que l'amour impose à ton hôte, et donc à toi.

∞ Tomas n'est pas ici seulement pour libérer Lylas. L'avenir des Almars le préoccupe tout autant. Et puis j'étais d'accord pour l'accompagner, se défendit Mex.

∞ Je n'ai aucun désir que Gustave enlace sa fiancée, et qu'ils poussent tous les deux la chansonnette, accrochés au bastingage de la proue du *Titanic*, les cheveux dans le vent.

∞ Pardon?

En guise de réponse, Gustave fredonna :

– Near, far, wherever you are/I believe that the heart does go on/Once more you open the door/ And you're here in my heart/And my heart will go on and on.

Bem ajouta, sa structure déformée par le dégoût :

∞ C'est poisseux ce truc, ça dégouline.

– Mais c'est magnifique ce que vous chantez! s'exclama Helenn en prenant Gustave par le bras.

21

Ils longeaient un immense champ de blé, dont les maigres épis se balançaient dans le vent, quand Tomas aperçut un cavalier galopant dans leur direction.

– Ami ? Ennemi ? pressa-t-il Mex à mi-voix.

∞ Je l'ignore, vibra l'Ilys. Il va falloir avancer à visage couvert.

Tomas interpella ses compagnons.

– Nous devons présenter une histoire crédible pour justifier notre présence ici et ne pas éveiller les soupçons. Gustave et Helenn, vous formez un couple et je suis votre fils. Colin est le jeune frère d'Helenn. Entendu ?

Tous acquiescèrent en silence.

– Nous nous rendons à Galbar pour trouver du travail, poursuivit Tomas. Nos bêtes sont mortes, nos récoltes perdues, nous n'avons plus de quoi nous nourrir. Les cours d'eau sont à sec. Nous sommes désespérés. Chacun a bien compris ?

Pour toute réponse, Gustave saisit la main d'Helenn et la porta à sa bouche pour y déposer un baiser. Surprise, Helenn rougit.

Quand le cavalier parvint à leur hauteur, ils s'immobilisèrent. Colin posa la main sur le poignard à sa taille. Dans un mouvement protecteur, Gustave passa son bras autour des épaules d'Helenn.

Tomas, quant à lui, était aux aguets. L'homme était grand, la tête couverte d'un chapeau à larges bords. Sa tête ronde était barrée d'une épaisse moustache qui lui mangeait une partie de la bouche. Ses joues couperosées témoignaient de sa vie au grand air.

— Que faites-vous sur mes terres ? beugla-t-il d'une voix rocailleuse.

— Nous ne savions pas qu'il s'agissait de vos terres, s'excusa Tomas en prenant l'air le plus naïf possible.

— D'où venez-vous et où allez-vous ? interrogea l'homme.

Son cheval, fier, souffla bruyamment puis piétina le sol avec nervosité.

— Nous arrivons du nord. Avec la sécheresse qui sévit là-bas, nous avons tout perdu...

L'homme détailla le groupe des pieds à la tête. Ils étaient fourbus, couverts de poussière, leurs vêtements étaient déchirés.

— Et où allez-vous comme ça ?

— À Galbar.

— Galbar est un mirage, commenta-t-il d'un air goguenard.

– Galbar n'existe pas ? s'étonna Gustave.

– Bien sûr que si, s'amusa l'homme, mais il n'y a rien à en espérer. Si vous voulez mon avis, choisissez une autre destination.

– C'est là que nous allons, affirma Colin avec conviction.

– Je vous aurai prévenus. Cette ville est le pire endroit que l'humanité ait créé. Tous ceux qui y échouent rêvent de fortune et se font broyer par sa rudesse. Allez-y si vous voulez, mais déguerpissez de mes terres, ordonna l'homme avec mépris.

– Nous allons dans la bonne direction ? s'informa Tomas.

– Oui, plein ouest. Vous n'avez qu'à vous laisser guider par la puanteur, ricana l'homme en remettant, d'un claquement brutal des talons, son cheval au galop.

22

Lylas n'avait pas quitté sa position depuis d'interminables heures. Les mains plaquées sur le sol, elle écoutait les coups frappés par la femme. Quand ils cessaient, elle composait à son tour des enchaînements de coups longs et de coups secs, parfois martelés, à d'autres moments presque effleurés, et attendait la réponse.

Enfin, les images de combat qu'elle avait perçues plus tôt se précisèrent. La femme courait, plusieurs hommes à ses trousses. Une main serrait la sienne. Celle d'un homme qu'elle avait aimé. Puis l'horreur emportait tout. Des armes, des heurts, l'agonie de ce compagnon, la blessure à son bras, les interminables semaines entre la vie et la mort. La guérison, l'enfermement. La culpabilité d'être toujours en vie, impuissante.

Lylas sentait le désespoir de la prisonnière l'envahir quand la petite porte de sa cellule s'ouvrit. Elle sursauta.

– Tu sors, annonça sèchement son gardien.

Elle se leva précipitamment. Une tempête de questions se déchaîna en elle.

– Au moindre écart, tu reviens ici. Définitivement, menaça l'homme.

TRAHISONS

23

Enfin, ils atteignirent les faubourgs de Galbar. Sous des abris de fortune, faits de planches et de piquets sur lesquels étaient tendues des bâches déchirées, s'agglutinaient des hommes, des femmes et des enfants en guenilles, le visage ravagé par les carences et la maladie. De partout montaient des panaches de fumée gris foncé, provenant de feux malingres alimentés par les ordures. L'odeur de la pourriture, mêlée à celle des excréments et de la fumée, les fit suffoquer. Tomas et ses compagnons pressèrent le pas.

Mex était atterré. Les Ilys qui résidaient dans ces ombres étaient sombres, flétris. Des Ilys en dormance s'entassaient dans les moindres creux. Jamais ils ne retrouveraient une ombre pour s'y fondre. Jamais. Étaient-ils condamnés à la dormance à perpétuité ? Une vibration de désespoir le secoua.

∞ Tu t'y habitueras, ou peut-être finiras-tu comme nous, lui lança un Ilys étiolé dans l'ombre d'un homme décharné.

Mex ignora la remarque et fit en sorte que Tomas accélère le pas. Celui-ci n'opposa aucune résistance. Dans son sillage, ses compagnons l'imitèrent.

– Quelle horreur! s'exclama Helenn, une main sur la bouche.

– Galbar est à la hauteur de sa réputation. Nous étions prévenus, rétorqua Colin, avec une moue de dégoût.

Helenn se serra contre Gustave.

– Prenons tout droit, proposa-t-il d'une voix calme.

– Vous connaissez Galbar? s'étonna-t-elle.

– Au cours de mes périples improvisés, j'ai déjà échoué ici.

– Échoué? reprit-elle, surprise.

– Ici, ailleurs. Je ne sais jamais où je vais. Et encore moins pourquoi.

– Vous connaissez bien la ville? s'enquit Tomas.

– Suffisamment pour savoir qu'il faut poursuivre tout droit afin de quitter ces zones miteuses.

∞ Ne t'inquiète pas Tomas, Bem guide Gustave, vibra Mex.

– Très bien, on vous suit, Gustave, déclara Tomas.

Bientôt, les misérables taudis laissèrent la place à des habitations moins loqueteuses, bordant des ruelles bondées.

Ils traversaient une petite place sur laquelle se pressait une foule compacte quand Mex souffla à son hôte :

∞ On nous observe.

Tomas jeta un rapide coup d'œil autour de lui, ne vit que des visages indifférents à leur présence. C'est alors qu'un homme le bouscula violemment, arracha son sac avant de se fondre dans la foule. Il n'eut pas le temps de réagir. Il interpella les passants, courut à droite, à gauche, mais il était trop tard.

– Que contenait ton sac ? s'inquiéta Colin.

– Mes affaires... la boussole... et l'un des cristaux.

– De quoi soigner notre image de pauvres paysans ayant tout perdu avec la sécheresse, commenta Colin d'un ton sec.

– C'est quoi ce cristal ? questionna Gustave.

– Plus tard, éluda Colin. Espérons qu'il ne s'agisse que d'un voleur à la tire.

Mex en doutait. Les vibrations qu'il avait eu le temps de capter étaient celles d'un Rogon.

24

Gustave les précéda à travers un enchevêtrement de ruelles étroites et puantes. Dès qu'une charrette à bras chargée de marchandises s'y engageait, un énorme bouchon se formait, provoquant les invectives des passants obligés de se plaquer contre les murs crasseux des habitations.

– Comment peut-on vivre dans un lieu pareil ? s'interrogea Tomas, incrédule.

Quand, par une porte cochère, il aperçut un arbre dans une cour, il ne put se retenir de s'en approcher. Il s'agissait d'un marronnier chétif aux feuilles racornies, qui ressemblait à tous ces gens agglutinés dans les faubourgs de la ville.

Sous le regard ahuri d'une vieille femme penchée à sa fenêtre, il caressa son tronc, tentant comme le lui avait appris Lylas de capter le murmure de la circulation de la sève. Mais il n'y parvint pas.

∞ Ne reste pas là, lui souffla Mex.

À regret, il se remit en marche.

Ils traversèrent des quartiers commerçants, où des hommes ventrus et braillards vantaient la qualité de leur marchandise. Tomas trouva les volailles et les légumes bien tristes au regard de ceux que lui cuisinait Rose Mama. Ailleurs des artisans s'affairaient à même le sol à frapper le métal dans de petites forges maintenues à température par des enfants noirs de suie. D'autres découpaient le cuir pour fabriquer des ceintures, des sacs ou des chaussures. Partout, dans des échoppes minuscules et bruyantes, on confectionnait, réparait, façonnait tout ce dont les habitants de Galbar avaient besoin.

– L'auberge est juste à droite, au coin de la rue, indiqua un gamin à leur passage.

Il devait avoir une douzaine d'années, ses yeux pétillaient de malice. Il passa une main dans ses cheveux noirs en bataille, et de l'autre rajusta sa chemise de toile dont certains boutons manquaient, cachant son corps malingre mais musclé. Il arborait un sourire comme ils n'en avaient pas encore vu dans cette ville où les habitants affichaient des mines fermées et accablées. Tomas fut capté par le bleu presque blanc de ses iris. Perché sur un tonneau, le garçon taillait en pointe un bout de bois.

– Comment sais-tu que nous cherchons l'auberge ? s'étonna Gustave.

– Suffit de vous regarder. Vous n'avez pas l'air d'habitants de Galbar. Et dans le coin, à part l'auberge, y a rien qui puisse intéresser des gens comme vous.

Tomas interrogea Gustave du regard, qui lui confirma que l'auberge dans laquelle ils s'installeraient se trouvait là.

Elle portait sur son fronton une large inscription : *Hôtel de la gare.*

– Qu'est-ce que ce nom signifie ? s'étonna Tomas.

Gustave se lança :

– C'est un nom très ancien, dont on a oublié le sens au fil du temps. Même le patron n'a pas pu me répondre après que je l'ai questionné lors d'un précédent séjour. *Gare* est l'anagramme de *rage*. Peut-être y a-t-il une erreur dans la disposition des lettres ?

À leur entrée, les conversations animées laissèrent la place à un lourd silence. Ils furent saisis par l'odeur d'oignon frit, de sueur et d'urine qui régnait à l'intérieur. Les hommes qui buvaient assis autour d'une grande table se retournèrent avec des mines méfiantes. Avec autant d'assurance que s'il avait été chez lui, Gustave traversa la salle et s'adressa à l'homme ventru qui trônait derrière un large comptoir en bois.

– Il nous faudrait une chambre, s'il vous plaît.

Le patron marmonna une réponse incompréhensible. Quand Gustave posa quelques pièces sur le bois du comptoir, son visage bourru esquissa un sourire édenté. Il lui remit alors une clé en bougonnant :

– Ceux qui dorment ici doivent dîner.

– Je sais, mon ami, je connais les lieux. Mais c'est la première fois que je viens avec mon épouse, clama Gustave.

Pour donner le change, Helenn lui prit la main.

De nouveau, le patron lâcha quelques mots incompréhensibles.

Ils empruntèrent un long couloir au fond duquel se trouvait la chambre. Des matelas d'une propreté douteuse étaient posés à même le sol. Quand Tomas souleva une couverture, une ribambelle de cafards s'enfuirent dans les rainures du parquet.

– Il nous faut au plus vite trouver notre contact. Je ne tiens pas à moisir ici, annonça-t-il.

25

Au moment où Tomas quittait l'auberge, le jeune garçon l'interpella.

– Mon nom est Irvin. Qu'est-ce que tu viens faire à Galbar ?

Avant que Tomas ne réponde, il planta la pointe de son couteau dans le flanc du tonneau, fourra la flèche qu'il venait de tailler dans un carquois de cuir accroché dans son dos puis sauta sur le sol, se plaça devant lui, les poings sur les hanches, et le fixa droit dans les yeux. Celui-ci lui servit l'histoire qu'ils avaient répétée :

– Nous avons tout perdu à cause de la sécheresse. Je suis venu ici avec mes parents et un oncle pour trouver du travail.

– Cette femme est ta mère ? interrogea le garçon, un œil suspicieux posé sur Helenn.

– Oui, il s'agit de ma mère, affirma Tomas avec véhémence.

– Si tu le dis, rétorqua Irvin d'une voix pleine de doutes en remontant sur son tonneau.

Il attrapa sa flèche et entreprit d'en parfaire la pointe. Tout en faisant sauter des copeaux de bois avec sa lame, Irvin ajouta :

– Moi, si j'avais une mère, je ne l'emmènerais pas dans un endroit pareil. Mais je n'en ai pas.

Pendant ce temps, l'Ilys d'Irvin questionnait Mex avec curiosité.

∞ C'est comment le nord ?

La structure de Mex tressaillit.

∞ On raconte que les ombres sont si petites que les Ilys, au lieu d'être sphériques, sont plats, ajouta-t-il.

∞ Sornettes. Mais qui a prétendu que l'on venait du nord ? s'étonna Mex.

∞ Suffit d'observer…

∞ Ah ? vibra Mex, dubitatif.

∞ … et d'écouter.

∞ Il faut toujours se méfier de ce qu'on entend, le rabroua sèchement Mex.

∞ Peut-être. Au fait, je ne me suis pas présenté. Je m'appelle Ilb.

Méfiant, Tomas s'éloigna d'un pas vif, accompagné de ses amis.

– Almar ? Rogon ? interrogea-t-il Mex.

∞ Ni l'un ni l'autre, comme la plupart ici. Ils cherchent à survivre, c'est tout.

– Celui-là m'a l'air curieux.

∞ Son hôte l'est aussi. Restons sur nos gardes.

∞ Mon contact réside dans un quartier situé à l'est de la ville. Il s'appelle Curtis, précisa Bem.

∞ Allons-y sans tarder, le pressa Mex. Cet endroit me déplaît.

En chemin, ils traversèrent le marché aux herbes. De multiples senteurs emplirent leurs narines. De la menthe, du thym que Tomas reconnut, et d'autres, qu'il sentait pour la première fois.

– Un instant, annonça Gustave. C'est l'endroit idéal pour se procurer des feuilles de noyer et des aspérules odorantes séchées. Elles permettent d'éloigner les puces. Elles pullulent dans Galbar et sont redoutables. Si nous ne faisons rien, demain matin nous ressemblerons à des calculettes.

– Des quoi ? s'étonna Helenn en écarquillant les yeux.

– Je suis désolé, s'excusa Gustave, je ne sais pas pourquoi j'ai prononcé ce mot dont je ne connais pas la signification. Je voulais dire que nous serons couverts de boutons. D'ailleurs, ces satanées puces ont commencé d'œuvrer, commenta-t-il en se grattant la cheville.

Les trois autres le regardèrent, incrédules, tandis qu'il se dirigeait vers l'étal d'un marchand.

Les bras chargés de bouquets, Gustave tentait de négocier le prix, mais au sourire des badauds, comprenant qu'il venait de se faire flouer, Colin s'approcha et invectiva le marchand en levant le poing.

– Voleur, rendez-nous notre argent.

Le commerçant prit violemment ses clients à partie et, très vite, un cercle de curieux se forma autour d'eux.

Affolé par la tournure que prenaient les événements, Tomas tira Colin par la manche mais ce dernier résista, décidé à faire valoir leur bon droit auprès du commerçant indélicat.

– Rendez-nous notre argent, insista-t-il sur un ton rugueux.

– Pour qui vous prenez-vous ? Je vous donne ma meilleure marchandise au prix de la plus commune, et vous osez me traiter de voleur ?

Jegg tentait de calmer son hôte, en vain.

∞ Une patrouille de Rogons arrive, prévint Bem, ça va être à nous d'intervenir.

Parce qu'il était trop tard pour fuir, Bem et Mex décidèrent de lancer leurs hôtes dans un moonwalk endiablé.

∞ Désolé Tomas, s'excusa Mex, il faut détourner l'attention. Une patrouille arrive.

Les badauds agglutinés s'écartèrent pour faire place aux danseurs.

Colin se figea quand trois soldats pénétrèrent dans le cercle.

– Que se passe-t-il ici ? demanda l'un d'eux, le regard soupçonneux.

Aussitôt, les passants refluèrent en désordre et le lieu se vida. Quand Tomas se retourna, il se retrouva face à trois miliciens à la carrure athlétique qui affichaient le visage dur de ceux qui détiennent l'autorité. Vêtus d'un gilet de cuir noir, de bottes qui montaient aux genoux, ils portaient un couteau à lame longue à la ceinture. En découvrant leur queue de cheval semblable à celle qu'arborait Hector, il sentit sa respiration s'accélérer.

– Que se passe-t-il ici ? répéta l'homme en forçant la voix.

– Nous esquissions un pas de danse, expliqua Gustave en prenant un air accablé. Nous venons d'arriver. Nous avons tout perdu à cause de la sécheresse et nous voulions gagner une petite pièce.

Le marchand, qui craignait que la patrouille ne s'immisce dans ses affaires, abonda en son sens.

– La mendicité est interdite, trancha le soldat.

– Nous ne le savions pas, nous venons d'arriver, répéta Gustave.

De son côté, son Ilys jouait son rôle à la perfection. Sa structure s'était voilée comme s'il était dépassé par les événements. Mex agissait de même pour tromper les Rogons.

Les croyant impressionnés par leur présence, les trois Ilys vibrèrent sur le ton de la moquerie. Mex parvint de justesse à masquer le bouillonnement de rage qui montait en lui.

Mais Jegg, gagné par la colère de son hôte, laissa paraître son animosité. Leur réaction ne se fit pas attendre.

– Vous, là ! lança un des miliciens en pointant sur Colin un doigt menaçant.

Avant qu'ils le saisissent, Colin sauta par-dessus la charrette du marchand de plantes, la renversa et s'engouffra dans une ruelle voisine. Les trois miliciens se ruèrent aussitôt derrière lui tandis que Tomas glissait à ses compagnons dans un murmure fébrile :

– Retournons à l'auberge. Colin s'y réfugiera sans doute après avoir semé ses poursuivants.

26

Conduite par son geôlier au travers d'un dédale de couloirs et d'escaliers en colimaçon, Lylas, les mains nouées dans le dos, émergea dans une cour. La lumière du jour l'agressa. Elle ne distinguait que des silhouettes sombres et immobiles, d'autres plus petites et mouvantes.

Ses questions à son gardien, lorsqu'il avait ouvert la porte de son cachot, étaient restées sans réponse. Avant que la lumière ne l'aveugle, elle l'avait entr-aperçu. Il était gros, les cheveux longs emmêlés. Sa démarche était lourde, disgracieuse. Elle l'avait senti aussi. Une haleine putride, qui couvrait presque son odeur corporelle, mélange de vieille transpiration et de cette épice puissante qui assaisonnait les légumes servis quotidiennement.

Peu à peu, les yeux de Lylas s'accoutumèrent à la luminosité.

Elle avançait dehors entre deux rangées identiques de constructions en bois. Partout des hommes au gilet de cuir, les cheveux noués en une courte queue de cheval.

Ils se retournaient tous sur son passage. Était-ce son statut de femme ou de prisonnière qui aiguisait à ce point leur curiosité ? Non, ils semblaient simplement inquiets, presque effrayés. Ils l'examinaient de biais, évitant de croiser son regard. Certains même s'écartaient, comme s'ils redoutaient qu'elle les morde.

Une vive angoisse monta en elle, ses jambes chancelèrent. Où la menait-on ? Que comptait-on lui faire ?

Un peu plus loin, elle croisa des groupes d'hommes et de femmes au crâne rasé qui marchaient de manière mécanique, les bras le long du corps, le regard absent.

Une odeur de boue et de verdure mêlées emplissait la cour. De hautes palissades en bois lui bouchaient la vue.

Elle repensa à l'autre prisonnière. Sortirait-elle ? La verrait-elle enfin ?

Elle ralentit le pas, son geôlier la poussa brutalement.

– Avance !

À cet instant, Lylas se demanda si elle devait se réjouir d'être dehors, ou s'il n'aurait pas mieux valu qu'on l'oublie dans son trou.

Ils se dirigèrent vers un bâtiment massif.

Elle gravit deux marches, il défit alors ses liens et lui fit signe d'entrer.

Elle franchit la porte, pénétra dans un couloir. De part et d'autre, des portes closes, et à côté de chacune d'elles un banc. Son geôlier lui en indiqua une sans l'inviter à s'asseoir.

Alors qu'elle s'approchait, son regard se figea. Accrochés au mur, des cheveux blancs comme les siens. Il ne s'agissait pas d'une simple mèche, mais d'un véritable scalp.

27

– **V**ous ne mangez pas? les interpella l'aubergiste à leur arrivée. Y aura du chou ce soir.

Tomas lâcha un *non* pressé et s'engouffra dans le couloir, Gustave et Helenn à sa suite.

– C'est comme vous voulez. De toute façon, c'est facturé.

La chambre était déserte.

– Qu'avait-il besoin d'exiger des comptes au commerçant? fulmina Tomas. Pourvu qu'il n'ait pas été arrêté.

– Mais que peuvent reprocher les agents à Colin? demanda naïvement Gustave. Comment pourraient-ils deviner que nous sommes ici pour trouver votre amie? Il se passe des choses étranges, et j'ai l'impression d'être tenu à l'écart. Que me cachez-vous?

Tomas se figea, désemparé, jeta un coup d'œil à Helenn qui s'approcha de Gustave et lui posa une main sur l'épaule.

– Qu'allez-vous donc chercher? s'étonna-t-elle.

– Je suis observateur et je trouve certains de vos comportements bizarres.

– Non Gustave, il n'y a rien de bizarre. Nous cherchons Lylas, et moi je veux retrouver mon fils. Cette situation nous rend nerveux, c'est tout.

Gustave affichait une profonde mélancolie.

– Je ne suis pas comme les autres, je le sais bien, et souvent je ne comprends pas ce qui m'arrive, se lamenta-t-il en secouant la tête.

– Vous êtes différent, c'est vrai, mais tellement plus intéressant à bien des égards. Vous voyez ce que les autres ne voient pas, vous ressentez les choses avec une sensibilité plus profonde, vous vivez autrement. C'est ce qui fait votre charme, le complimenta Helenn.

Un sourire illumina le visage de Gustave.

– Vraiment, vous êtes...

– Nous ne pouvons pas rester là à attendre, l'interrompit Tomas qui arpentait la chambre d'un pas nerveux.

La situation lui échappait et avec elle l'infime chance de libérer Lylas. Il devait agir, et vite.

– Allons rejoindre Curtis, ordonna-t-il à ses compagnons.

– Votre ami n'est pas avec vous? lança une voix quand ils sortirent de l'auberge.

Irvin, toujours perché sur son tonneau à tailler ses flèches, les observait avec malice.

– Il ne... euh s'agit pas d'un ami, mais de mon oncle, rétorqua Tomas, surpris.

– Si vous le dites, commenta Irvin en vérifiant du doigt la qualité de la pointe. Et la milice lui court toujours après ? poursuivit-il d'une petite voix innocente.

Tomas pivota et le fusilla du regard. Irvin sourit.

– Vous savez ce qui circule le mieux dans Galbar ? Les bruits.

∞ Ne vous inquiétez pas, affirma Ilb, Jegg est de taille à se défendre contre les Rogons.

∞ Qui ça ? demanda Mex en feignant l'étonnement.

∞ Jegg. N'est-ce pas ainsi que se nomme l'Ilys de votre ami Colin ?

∞ Je te trouve trop curieux. Et bien renseigné.

∞ On n'est curieux qu'avec ceux qui ont quelque chose à cacher. Les Ilys sans secret sont ennuyeux, commenta Ilb.

Ilb était dilaté dans des proportions modestes, et malgré la transparence de sa structure qui indiquait son jeune âge, les légères plissures de sa surface trahissaient ses conditions de vie précaires.

∞ L'Ilys de Colin s'appelle Jegg, et Colin n'est pas l'oncle de Tomas. Qui est-il vraiment ? relança-t-il.

∞ Peu importe.

∞ Ce ne sera pas difficile à découvrir, affirma Ilb. Ici, quand on est un peu malin, on arrive à tout savoir.

Mex impulsa un mouvement à Tomas pour qu'il reprenne son chemin. Cet Ilys possédait déjà trop d'informations à leur sujet. Il leur fallait trouver un guide et quitter la ville avant que les Rogons les repèrent.

∞ Ton indicateur est-il fiable ? s'inquiéta Mex auprès de Bem.

∞ C'est un agent double prêt à aider les Almars, précisa-t-il avec assurance.

∞ Un agent double peut-il être fiable ? s'inquiéta Mex.

∞ Autant que peut l'être un agent de la CIA.

∞ Tu pourrais parler comme tout le monde afin que je comprenne ? s'irrita Mex.

∞ Eh, tu ne vas pas devenir comme ton hôte.

∞ Comme mon hôte ? s'énerva Mex, dans une vibration courroucée.

∞ Tomas n'est pas un rigolo. Tu ferais mieux de lui apprendre un peu l'humour. N'est-ce pas ainsi que l'on conquiert et garde les femmes ? s'amusa Bem.

∞ Moi mon hôte, je le respecte, attaqua Mex, furieux.

∞ Nous y voilà. Que sais-tu de mon hôte pour réagir ainsi ?

∞ Il suffit d'observer comment tu le traites.

∞ Écoute-moi bien, p'tit gars, et après je te promets d'oublier la remarque que tu viens de me faire.

Mex, sur la défensive, se rétracta.

∞ Mon hôte, Gustave, je le côtoie depuis qu'il a douze ans. Tu vois, ça fait une paille. J'ai quitté l'ombre d'un initié pour me glisser dans la sienne. Et tu sais pourquoi ?

Mex ne répondit pas.

∞ Je traversais un bois, confortablement installé dans l'ombre de mon hôte de l'époque, quand j'ai repéré ce gamin perché sur une branche d'arbre en train de se passer une corde au cou. Un gamin désespéré, que son Ilys avait quitté car il ne supportait plus la noirceur de sa vie.

Mex demeura silencieux.

∞ Gustave est un être fragile, poursuivit Bem. Si je ne lui insuffle pas une humeur joyeuse, il est gagné par le désespoir. N'oublie jamais. Ce n'est pas parce que l'on fait de la vie une fête que l'on ne prend pas la situation et les gens au sérieux.

Mex sentit une onde d'émotion traverser sa structure. De honte aussi, pour avoir trop rapidement jugé Bem.

28

Curtis vivait dans un quartier excentré, sur une des collines avalées par la ville. Guidé par Gustave, Tomas se retournait à intervalles réguliers pour s'assurer qu'ils n'étaient pas suivis. Gustave, par prudence, prenait des chemins détournés.

Le couteau dégainé, les muscles tendus, ils avançaient tous trois dans le dédale de ruelles au centre desquelles coulaient les eaux usées, que la chaleur rendait plus pestilentielles.

Helenn et Gustave se tenaient par la main, sans que Tomas sache si des sentiments nouveaux les liaient ou s'ils s'appliquaient simplement à jouer le rôle qui leur était échu.

– C'est encore loin? s'inquiéta-t-il.

– Nous y sommes presque, répondit Gustave. Que lui voulez-vous à cet homme?

– Il possède des informations qui nous permettront peut-être de retrouver la trace de Lylas et Elliot.

– Ah ? s'étonna Gustave. C'est moi qui le connais et c'est vous qui savez qu'il peut nous aider ?

– Les mystères ne mettent-ils pas du piment dans la vie ? temporisa Helenn.

– Le piment trop fort peut tout gâcher. Ah voilà nous y sommes ! s'exclama Gustave en désignant une maison aux murs lépreux.

Il frappa deux coups à la porte, laissa couler un temps, puis frappa une autre série de deux coups, plus appuyés.

La porte grinça et s'ouvrit sur un homme de petite taille. Sa barbe mal rasée noircissait son visage jusque sous ses yeux. Deux rides profondes barraient son front. Il serra avec force la main de Tomas, fit une accolade à Gustave et adressa un mouvement de tête exagérément déférent à Helenn.

L'Ilys de Curtis accueillit tout aussi chaleureusement les visiteurs.

∞ Content de vous rencontrer. Que puis-je pour vous ?

Mex se rétracta. Les vibrations du Rogon lui déplaisaient.

∞ Nous sommes à la recherche de Mazz... annonça Bem.

∞ Ouahou, ne put retenir le Rogon.

∞ ... et d'une jeune fille aux cheveux blancs prénommée Lylas, poursuivit-il.

∞ Sacré programme.

∞ Vous avez des informations les concernant ? s'empressa Mex.

∞ Une jeune fille à la chevelure blanche et à l'ombre vide de tout Ilys, c'est ça ?

∞ Oui, confirma Mex, plein d'espoir.

∞ Et pourquoi vous intéresse-t-elle ? s'enquit le Rogon, soudain méfiant.

∞ L'hôte de Mex a le cœur qui a fait boum, répondit Bem, amusé. Tu vois le genre.

∞ Quand on sait le sort que réservent nos hôtes aux gens de son espèce...

∞ Que leur font-ils ? le pressa Mex, sa structure toute contractée.

Tomas, qui venait de ressentir l'étonnement de son Ilys, l'interpella :

– Que se passe-t-il ?

∞ Je te raconterai, répliqua Mex dans une vibration amère.

∞ À ta place, je m'abstiendrais, conseilla le Rogon en s'assombrissant. Nos hôtes les tuent et gardent le scalp de leur chevelure qu'ils accrochent aux murs de leurs maisons. Ils prétendent que ce trophée chasse le malheur.

29

– **S**avez-vous où se trouve exactement leur forteresse ? attaqua Tomas avec impatience.

Curtis prit une longue inspiration et plissa les yeux.

– Si vous êtes venus me voir, c'est pour ma capacité à obtenir des informations, n'est-ce pas ? répondit-il avec un brin de malice dans la voix.

– Alors ? relança Tomas.

– Dans une zone peu accessible, au cœur des marais, commença l'homme, tout en accompagnant ses paroles d'un geste vague désignant le lointain. C'est une large enceinte circulaire protégée par huit tours de guet. Une garnison de plusieurs centaines d'hommes y séjourne. Ils y détiennent leurs prisonniers.

– Elliot s'y trouve-t-il ? interrogea à son tour Helenn.

Curtis la dévisagea.

– Je suis sa mère, se justifia-t-elle d'un ton de défi.

Curtis se tourna vers Tomas.

– Tous les postes de commandement sont basés là-bas. S'il n'est pas en mission, il s'y trouve aussi.

Sous le coup d'une soudaine émotion, les yeux d'Helenn se mirent à briller.

– Mais vous ne pouvez pas y aller seuls, tempéra Curtis. La seule voie qui mène à la forteresse est étroitement gardée. Pour l'éviter, il vous faudra traverser les marais. S'y perdre entraînerait une mort certaine. Il y a des trous d'eau et, par endroits, la vase est prête à vous aspirer.

À chaque nouvelle annonce, Gustave pâlissait un peu plus.

– Il vous faudra également compter avec les serpents et les sangsues. Sans parler des moustiques. Si on n'y prend pas garde, ils vous dévorent et les risques de fièvre sont grands.

– C'est tout ? ironisa Tomas avec assurance.

Gustave le regarda, l'air atterré.

– Rien ne semble pouvoir vous freiner, constata Curtis dans un demi-sourire.

– Rien ni personne, affirma Tomas avec aplomb.

– Je connais un guide compétent et fiable. Je peux le contacter si vous le désirez. Revenez demain à la même heure, il vous accompagnera.

– Pourquoi pas vous ? s'étonna Tomas soudain méfiant.

– Mon rôle se limite à collecter des informations. Vous pourrez avoir confiance en lui. Je m'en porte garant.

Curtis se leva et quitta un instant la pièce.

– Vous aurez certainement besoin de ceci, annonça-t-il en revenant.

À la main il tenait la sacoche volée à Tomas, qu'il lui tendit.

– Comment l'avez-vous retrouvée ? s'étonna ce dernier.

– Je vous l'ai dit, je suis un homme informé. Je possède des relais efficaces. Vous avez frappé à la bonne porte. Votre sacoche n'en est-elle pas la preuve ?

Tomas vérifia son contenu. Tout y était. La boussole, le cristal. Il n'avait plus qu'une valeur sentimentale puisque les Rogons parvenaient désormais à déjouer ses rayons, mais lui y tenait.

Quand il se leva pour partir, Curtis répéta :

– Demain à la même heure, ici, le guide vous attendra.

Un doute profond envahit Tomas, qu'il se garda d'exprimer. Il salua Curtis, promit de revenir le lendemain et s'en alla.

Une fois dans la rue, il laissa Gustave et Helenn prendre quelques mètres d'avance.

– Je n'ai pas confiance en ce type, glissa-t-il à Mex dans un murmure.

∞ Moi non plus. D'autant que le voleur de ton sac était l'hôte d'un Rogon. On ne peut pas se fier à Curtis. À un moment ou un autre, il nous trahira.

– Je suis d'accord avec toi. Et que t'a révélé l'Ilys de Curtis au sujet de Lylas ?

∞ Il a confirmé qu'elle se trouvait bien dans la forteresse.

– Tu n'as pas obtenu d'information plus précise ?

∞ Non, mentit Mex.

Tomas sentit l'espoir le submerger. Bientôt, il en était certain, il libérerait Lylas.

Mex ne partageait pas son allégresse. Comment réagirait Tomas si les informations du Rogon se révélaient exactes ?

Lorsqu'ils arrivèrent à l'auberge, le patron clama avec un soupçon d'enthousiasme dans la voix :

– Ce soir, le chou sera accompagné de lard !

Avant de s'attabler, ils se rendirent dans leur chambre pour vérifier si Colin était rentré.

Quand Tomas poussa la porte, un tressaillement d'inquiétude le parcourut.

Leurs affaires gisaient sur le sol. Les sacs avaient été vidés, les matelas retournés.

30

Quand Lylas, poussée par son gardien, pénétra dans la pièce, son interlocuteur ne bougea pas. Il se tenait dans un large fauteuil, les jambes croisées. D'un mouvement de menton, il lui indiqua une chaise face à lui. Ils restèrent un long moment silencieux à s'observer.

Malgré ses cheveux tirés vers l'arrière, son front paraissait minuscule, en partie rongé par d'épais sourcils. Il dissimulait son menton proéminent sous une courte barbe dont il ne cessait de caresser le poil. Son regard était aussi acéré que la pointe d'un couteau, mais Lylas le soutint sans ciller.

– Vous êtes un mystère pour moi, attaqua-t-il d'un ton doucereux.

Lylas se retint de lui sauter à la gorge et d'exiger des explications sur la présence du scalp cloué au mur du couloir. Elle repensa aux membres de sa tribu, partis en expédition et qui n'étaient jamais revenus.

À cet instant, une très ancienne douleur se réveilla. Il y avait eu Meven, dont le rire et la bonté lui avaient tant manqué. Était-ce sa chevelure qui était clouée au mur ? À moins qu'il ne s'agisse de celle d'Anaelle.

Lylas se souvint avec émotion de ses caresses, parfaits compléments aux soins qu'elle prodiguait. Anaelle lui avait enseigné l'art de goûter les terres, de reconnaître celles qui favorisaient la cicatrisation, calmaient la fièvre ou apaisaient la douleur. Ensemble, elles avaient passé de nombreuses heures à répéter les gestes venus des anciens, à apprendre à maîtriser la complexité des mélanges et la subtilité des dosages. Tout son savoir, Lylas le tenait d'elle. Un jour, Anaelle était partie faire provision de terres. Un voyage long et difficile, dont elle n'était jamais revenue.

– Vous êtes un mirage, reprit l'homme, une nuance de fascination dans la voix. On vous voit, mais on ne vous perçoit pas. Vous ne dégagez aucune onde, aucune vibration.

Lylas ne répondit pas.

– Savez-vous ce que sont les Ilys ? lança-t-il.

Lylas acquiesça. Elle repensa alors à Tomas qui lui en avait parlé et l'appela mentalement à plusieurs reprises. « Tomas ! Tomas ! Tomas ! »

L'homme poursuivit :

– Les Ilys ont peur des gens comme vous. Et savez-vous pourquoi ? Parce que vous vous mouvez sans qu'aucune vibration trahisse vos déplacements. Vous êtes là sans l'être. Votre ombre vide vous sert d'écran.

L'homme décroisa ses jambes et se pencha vers elle.

– Les Rogons ont communiqué cette peur aux humains. Vos chevelures blanches n'ont pas arrangé la situation. Fantômes? Esprits surgis du monde des morts? De nombreuses légendes courent au sujet de votre espèce. Un véritable mystère. Un effrayant mystère.

Lylas frissonna de terreur.

Un soldat pénétra dans la pièce. L'homme lui fit signe de patienter.

– Nous continuerons cette discussion dans les jours prochains. N'hésitez pas à venir me voir. Demandez simplement à votre geôlier de vous mener à Hector.

Lylas eut alors le souffle coupé.

– Mais... vous êtes mort, s'étonna-t-elle en écarquillant les yeux.

Elle gardait en mémoire l'image de son corps s'abattant face contre terre, à ses pieds.

– Mort?

Hector éclata de rire.

– Vous devez parler de mon prédécesseur, j'imagine. Nous formons une longue chaîne au service de notre maître. L'enveloppe change, Mölg demeure. Il nous façonne de telle manière que j'ai parfois l'impression d'être celui qui m'a précédé, et déjà un peu celui qui me remplacera un jour. Hector n'est qu'une facilité de langage voulue par Mölg pour désigner l'hôte qui l'abrite. J'ai l'immense honneur d'être celui-ci aujourd'hui.

D'une main il lui indiqua la porte. Lylas se leva. Elle n'était pas certaine d'avoir compris la raison de cette rencontre, mais elle se tut.

En quittant le bureau, elle s'approcha de la chevelure soyeuse clouée au mur.

« Qui ? »

Si elle avait appartenu à un membre de sa tribu, Lylas le saurait en la touchant. Elle n'en fit rien. Elle préférait garder intacts les souvenirs de Meven et Anaelle, les imaginer encore en vie, quelque part, loin de ce mur et de ce scalp sordide.

31

– Nous devons gagner les marais immédiatement, annonça Tomas en rassemblant leurs affaires
éparpillées.

– Sans guide, c'est impossible, protesta Helenn, et
celui promis par Curtis ne sera prêt que demain.

– Nous en prendrons un autre, objecta Tomas.
Curtis n'est pas fiable.

– Un guide en qui nous pourrions avoir totale-
ment confiance sera aussi facile à trouver dans les
parages qu'un carré de luzerne bien verte, commenta Gustave, l'air renfrogné.

Tomas le fusilla du regard.

– Attendez-moi ici, ordonna-t-il.

Il traversa le couloir, la salle de l'auberge.

– Et pour le repas ? lança le patron.

– Plus tard, répondit Tomas sans lui adresser un
regard.

Puis il se ravisa et se tourna vers lui.

– Notre chambre a été fouillée, commença-t-il d'une voix rude.

L'aubergiste pâlit et se défendit.

– Je n'y suis pour rien, se lamenta-t-il. Comprenez-moi, ici celui qui veut espérer vieillir doit se tenir sur la réserve. J'ai trois enfants en bas âge, s'il vous plaît ne provoquez pas de scandale.

Les mâchoires serrées pour contenir sa colère, Tomas quitta la pièce.

Il avait à peine franchi la porte qu'Irvin se planta devant lui.

– Les Queues de cheval ont pénétré dans votre chambre, annonça-t-il d'un air entendu.

– Comment le sais-tu ? le pressa Tomas.

– Les Queues de cheval ne sont pas bien difficiles à reconnaître.

– Ce n'est pas ce que je te demande. Comment sais-tu que ces hommes venaient fouiller notre chambre ?

– C'est l'usage quand des étrangers arrivent en ville. Les lieux de passage font l'objet d'une surveillance particulière. Ils sont si sûrs de leur pouvoir qu'ils ne prennent pas la peine d'être discrets.

– Tu n'as pas vu notre ami ?

– Non, répondit Irvin en remontant sur son tonneau.

À cet instant, Mex capta une discrète vibration en provenance de l'Ilys de Colin. Celui-ci rejoindrait Tomas dès qu'ils quitteraient Galbar.

∞ Encore faut-il parvenir à sortir de la ville, annonça Ilb.

∞ De quoi tu te mêles encore ? s'irrita Mex d'une vibration sèche.

∞ Moi? De rien. Je ne fais que capter les ondes qui m'entourent. C'est tout, expliqua Ilb avec malice.

∞ Et tu comptes nous dénoncer? le provoqua Mex.

∞ Les ennemis des Rogons sont mes amis. Je n'aime pas leur façon de faire. Leur arrogance m'insupporte. Quand je peux les berner, je ne m'en prive pas.

∞ Tu nous aiderais? questionna Mex, soudain intéressé.

∞ Si mon hôte est d'accord, ce sera bien volontiers, conclut Ilb alors que Mex informait Tomas du message envoyé par Jegg et de la proposition d'aide d'Ilb.

– Vous allez repartir vers le nord? demanda Irvin.

– Non, plutôt vers le sud, tenta Tomas en guettant du coin de l'œil la réaction du jeune garçon.

– Le sud? Soit vous êtes courageux, soit vous êtes complètement fous.

Tomas demeura silencieux.

– Des marais à perte de vue et des patrouilles qui pullulent, expliqua Irvin, l'endroit est dangereux.

– Tu connais les lieux?

Pour toute réponse, Irvin esquissa une moue méfiante.

– Tu n'as pas à t'inquiéter, je ne travaille pas pour eux, le rassura Tomas.

Irvin continua à l'observer de longues secondes.

– Je sais que vous n'êtes pas avec eux, alors soit vous êtes courageux, soit complètement fous, reprit-il avec une légère grimace.

– Il y a certainement un peu des deux, admit Tomas.

– C'est bien ce que je me disais. On part quand ?
demanda Irvin, enthousiaste.

– Tout de suite. Pourquoi attendre ?

– Vous êtes complètement fous, mais je suis votre
homme, déclara-t-il en bondissant de son tonneau et
en singeant un salut militaire.

32

Ignorant l'aubergiste, Tomas regagna la chambre d'un pas plus léger.

– Nous avons désormais un guide, annonça-t-il sans ambages à ses compagnons. Nous partons pour la forteresse.

Incrédules, Helenn et Gustave le fixèrent.

– Et Colin? s'inquiéta Gustave.

– D'après mes informations, il a réussi à échapper à la patrouille.

– Pourquoi n'est-il pas ici alors? demanda Helenn.

– Il garde ses distances pour nous protéger. Il nous rejoindra à la sortie de la ville. Rassemblons nos affaires et filons.

À son tour, Bem s'inquiéta :

∞ Le guide est fiable?

∞ Ilb m'a l'air d'être de confiance, répliqua Mex. Ses vibrations à propos des Rogons, du marais et de Jegg, sonnent juste.

∞ Sympa?

∞ Il devrait te plaire. Vif, un peu loufoque. Il te ressemble, s'amusa Mex.

∞ Parfait. Allons trouver ce phénix.

∞ C'est Ilb que tu appelles ainsi? s'étonna Mex.

∞ D'après toi? Pas la reine d'Angleterre.

∞ La quoi?

∞ Laisse tomber, conclut Bem.

Quand ils quittèrent l'auberge, Irvin était juché sur son tonneau, affairé à empenner ses flèches avec des plumes blanches. Tomas ne cacha pas sa surprise.

– Tu as changé d'avis? Tu ne viens plus avec nous?

– Bien sûr que si mon capitaine, mais si on part ensemble, bonjour la discrétion. On ne réfléchit pas à ça dans le nord? railla le jeune garçon.

Tomas fit mine de ne pas avoir entendu.

– Rendez-vous à la sortie sud, ajouta Irvin à voix basse.

Tomas, sans un mot, rejoignit ses compagnons et ils s'engagèrent dans les ruelles parmi les étals des commerçants.

Ils firent quelques provisions, puis traversèrent un quartier où de jeunes enfants polissaient des plaques de tôle à même le sol.

Quand ils atteignirent la porte sud de Galbar, ni Colin ni Irvin n'étaient arrivés.

Des gamins se disputaient leurs découvertes sur un tas d'ordures tandis que des corbeaux tournaient en croassant au-dessus de leurs têtes.

Redoutant qu'une patrouille débarque, Tomas et ses compagnons surveillaient sans relâche les alentours.

Leurs Ilys guettaient la moindre vibration, prêts à lancer un avertissement si une milice approchait. Dans le même temps, ils diffusaient des ondes de sérénité pour ne pas éveiller les soupçons. Ils ne captèrent aucune trace de Jegg, ni d'Ilb.

Les amoncellements d'Ilys en dormance accentuaient leur trouble. Un sentiment d'impuissance les traversait, mêlé de découragement.

Tomas commençait à regretter d'avoir fait confiance à Irvin quand une petite voix retentit dans son dos :

– Alors capitaine, on y va ?

Tomas se retourna, soulagé.

– Je sais, j'ai mis du temps, concéda Irvin avec malice, un long bâton à la main. Mais un bon guide doit préparer son expédition avec le plus grand soin.

– Espérons que le guide se montre à la hauteur de la mission, commenta Tomas en le défiant du regard.

Irvin sourit et lui décocha un clin d'œil.

– Ne traînons pas ici, ajouta-t-il.

– Nous ne partirons pas sans Colin, rectifia sèchement Tomas.

– Il nous attend plus loin.

– Mais...

– J'ai été le trouver et lui ai indiqué la direction que nous prendrons. Il a aussitôt quitté Galbar. Des patrouilles le recherchent, d'autant qu'il a fracassé deux de leurs hommes en s'échappant. Toute la ville ne parle plus que de ça. Ce n'est pas pour déplaire à la population qui en a assez de cette surveillance permanente. Si au moins cette affaire l'incitait à se révolter!

Sur ces mots, Irvin se faufila entre les charrettes des marchands qui gagnaient les faubourgs, Tomas, Gustave et Helenn sur ses talons.

33

Elle avait demandé à regagner sa cellule et s'était plongée dans le noir avec soulagement. Puis le souvenir de la chevelure blanche clouée au mur ressurgit, la ramenant vers la nuit et son peuple, clôturant sa parenthèse de plusieurs mois dans la lumière.

« Je suis une Noctamm »

Alors qu'elle avait fui les siens avec la volonté de ne jamais leur revenir, ce sentiment d'appartenance dominait à présent tout son être.

« Je suis une Noctamm »

Les disparitions de Meven et Anaelle qu'elle avait pris pour des départs étaient des assassinats. La peur et les croyances idiotes avaient poussé ces humains à les tuer sauvagement.

« Je suis une Noctamm »

Elle devait fuir ce lieu pour regagner la nuit, trouver son peuple, et témoigner. Les raisons pour lesquelles elle avait quitté sa tribu passaient au second plan.

Comment accepter que Tenean, Rieg, Madenn et les autres courent le risque d'être tués lors d'une expédition dans la lumière ?

« Je suis une Noctamm »

Son devoir était de les protéger.

Sa relation avec Tomas avait été un mirage.

« Je suis une Noctamm »

Elle perçut une série de coups à travers le sol. Sa compagne d'infortune l'interpellait. En retour, Lylas frappa une petite série de coups qui signifiait simplement *je suis une Noctamm*.

Elle ajouta :

« Je ne vous abandonnerai pas ici »

34

Désormais, les faubourgs crasseux de la ville et les taudis étaient loin derrière eux. Des vaches efflanquées paissaient dans de vastes prés, gardées par des jeunes filles indifférentes à leur passage.

– Enfin un peu d'air pur, laissa échapper Tomas.

– Tu n'as pas aimé Galbar? s'amusa Irvin.

– Trop de bruit, trop de monde, trop d'odeurs, répondit-il avec dégoût. Et ces maudites puces.

Il avait les mollets en sang à force de se gratter.

– Moi, c'est la verdure qui me déprime. Je trouve que ça manque de vie, confia Irvin.

– Pourtant tu nous emmènes dans les marais, s'étonna Tomas.

– Les marais, c'est pas pareil. Le lieu est plein de surprises. Pour en profiter, il suffit d'éviter la forteresse. Si on pouvait la faire disparaître, avec tous ses occupants.

– Pourquoi les hais-tu autant ?

– Ils ont tué mes parents, annonça Irvin d'une voix neutre.

Tomas sursauta. Ainsi, comme lui, Irvin était orphelin.

– Faut dire qu'ils l'ont cherché.

Surprenant le regard étonné de Tomas, Irvin se justifia.

– Des malfrats qui ont passé leur vie à trafiquer, dénoncer et inventer de nouvelles combines. Depuis ma naissance, ils se sont si peu préoccupés de moi que j'ai douté qu'ils soient mes parents. J'ai été élevé par les gens du quartier. Une fois chez l'un, une fois chez l'autre. Mes parents disparaissaient sans prévenir durant plusieurs jours. Pour *affaires*, racontaient-ils à leur retour. Alors j'ai fini par m'installer partout, sauf chez eux. Je suis certain qu'ils ont été soulagés que je ne sois plus dans leurs pattes. Après leur arrestation, personne n'a cherché à les aider ni à les soutenir. Pourquoi se compromettre pour des personnes qui n'en valent pas la peine ?

– Mais tu m'as affirmé que tu en voulais aux... Queues de cheval parce qu'ils ont tué tes parents ? répliqua Tomas, curieux de comprendre les motivations d'Irvin.

– Oui. Si je dis que je ne les aime pas car je refuse leur tyrannie, je vais m'attirer des ennuis... Nous allons emprunter ce chemin caillouteux, là entre les deux rangées de roseaux, indiqua-t-il d'un geste de la main.

Le vent chahutait les frêles tiges, et par moments des craquements témoignaient d'une présence animale. De grands échassiers au long bec rouge déployèrent leurs ailes à leur approche et prirent leur envol.

Au détour du chemin, un crissement dans les roseaux alerta Tomas. Il dégaina son couteau, fit signe à Helenn et Gustave de rester en arrière.

– Tu veux tuer ton ami ? se moqua Irvin tandis que Colin surgissait des roseaux.

Son visage portait les stigmates de son empoignade avec la milice. À la vue de son œil poché, de sa lèvre fendue et de l'estafilade qui lui barrait la joue, Helenn retint un cri.

– Content de vous retrouver, lança-t-il. Et désolé d'avoir retardé notre départ.

Tomas hésita sur les paroles à tenir. Mais l'heure n'était pas aux reproches.

– Je suis moi aussi content de te voir, dit-il à son tour. La forteresse est encore loin. Ne perdons pas de temps et remettons-nous en route.

– J'espère que vous avez rendu coup pour coup, glissa Gustave en s'approchant de Colin.

– N'ayez crainte Gustave, ils ont eu leur dose. Je ne suis pas certain que leurs femmes les aient reconnus à leur retour.

35

Bientôt, le chemin caillouteux devint une large voie dallée.

– Cette voie étant l'unique route d'accès à la forteresse, nous allons devoir nous enfoncer dans la roselière. Mettez vos pas dans les miens, recommanda Irvin. Les marais réservent des pièges qui peuvent s'avérer mortels. Gardons le silence. Il arrive parfois qu'une patrouille quitte la voie et s'enfonce dans les marais.

La tension monta d'un cran.

– Et puis il est temps de se protéger contre les moustiques, poursuivit-il.

– Comment ? demanda Helenn.

– Je ne connais qu'un seul moyen.

Irvin indiqua une mare.

– Cette plante aquatique, reprit-il en détachant des feuilles dentelées d'une courte tige. Vous les écrasez dans vos mains et ensuite vous frottez toutes les parties de votre corps qui sont à découvert.

Gustave ramassa quelques feuilles, les pressa entre ses doigts et grimaça de dégoût.

– Ça sent le poisson pourri.

– Les moustiques transmettent de terribles fièvres. Faut pas plaisanter avec ça. Et on s'habitue vite à l'odeur, dit leur guide en riant.

Joignant le geste à la parole, Irvin s'enduisit les bras, les chevilles puis le cou et le visage. Tous l'imitèrent.

Après s'être assuré qu'ils étaient parfaitement protégés, Irvin franchit un fossé gorgé d'eau et s'enfonça dans la roselière, sondant de son bâton le sol spongieux devant lui.

Ils progressaient lentement, écartant les feuilles de roseau acérées tout en veillant à caler leurs pas sur ceux d'Irvin. Dans ce labyrinthe de verdure, la chaleur était étouffante. Très vite, ils furent trempés de sueur.

Ils faisaient une courte pause sur une langue de terre quand Bem donna l'alerte :

∞ Une patrouille de Rogons!

Ils plongèrent au sol. Tomas attrapa son couteau, vérifia le tranchant de la lame sur une tige. La coupure fut nette et ne lui demanda aucun effort.

À l'approche de la patrouille, ils retinrent leur souffle tandis que les Ilys, pour ne pas être repérés, s'enfonçaient dans un état proche de celui de dormance. Maintenant Tomas percevait distinctement les pas des patrouilleurs. Cinq hommes déterminés.

Pour soulager une crampe, il bougea un pied, la semelle de sa chaussure laissa échapper un inattendu bruit de succion. En écho, la patrouille marqua un arrêt.

– Vous avez entendu? s'exclama une voix grave.

Il y eut un silence qui leur parut durer une éternité puis une voix plus aiguë conclut :

– Il n'y a personne, poursuivons.

Une fois le silence revenu, Tomas poussa un long soupir de soulagement et se tourna vers Irvin.

– Nous avons eu de la chance qu'ils ne fouillent pas la zone.

– Oui, nous allons ramper un moment, ce sera plus prudent, chuchota Irvin.

– Et les serpents ? s'inquiéta Helenn.

– Les petites bêtes n'attaquent pas les grosses, plaisanta-t-il.

Stoïque, Helenn s'allongea au sol et rampa dans le sillage de ses compagnons.

Très vite, ils furent complètement trempés.

Au signal d'Irvin, quand il fut certain que la patrouille ne risquait plus de les repérer, ils se relevèrent et reprirent leur marche après s'être de nouveau protégés des moustiques.

En fin de journée, ils parvinrent à un étang.

– De l'autre côté, la berge est plus haute et donc plus sèche. On s'y installera pour bivouaquer, prévint Irvin. Le contourner serait trop long. On va le traverser.

Et il pénétra dans l'eau jusqu'aux mollets, sondant de son bâton les alentours pour s'assurer de son chemin. Rassurés, les autres le suivirent. Ils s'enfoncèrent dans la vase, au prix d'un effort intense à chaque pas.

– Restez dans mon sillage surtout, lança Irvin. Il y a des...

Sa phrase fut interrompue par un cri sourd de Gustave.

– Là, vous avez vu ?

– Quoi ? interrogea Irvin.

– Une flamme verte vient de surgir de l'eau.

Une deuxième flamme apparut un peu plus loin, qui s'éteignit aussitôt.

– Il s'agit de bulles de gaz qui s'enflamment spontanément au contact de l'air, expliqua Irvin. Ne restons pas là.

Une troisième flamme jaillit, puis une quatrième. Très vite les langues de feu se multiplièrent à la surface de l'eau et les encerclèrent.

Irvin dégaina son couteau, coupa quelques tiges de roseaux et en tendit une à chacun.

– Elles sont creuses. Glissez-les dans votre bouche et plongez sous l'eau, ordonna-t-il.

Tomas attendit que ses compagnons aient disparu pour s'immerger à son tour. Il ouvrit un instant les yeux. L'eau était si trouble qu'il ne distinguait rien. Seul le bruit des bulles qu'il expirait, mêlées à celles lâchées par les entrailles de l'étang, troublait la quiétude apparente. Ils demeurèrent ainsi de longues minutes avant qu'Irvin, d'une tape sur l'épaule, leur signifie que le danger était passé.

Hormis les crépitements de quelques roseaux en fin de combustion, la surface avait retrouvé sa tranquillité.

36

Lylas ne croyait pas un instant qu'Hector l'ait épargnée dans le seul but de percer le mystère qui l'entourait. Qu'espérait-il d'elle ? Qu'elle lui révèle où se trouvait sa tribu pour qu'il en élimine les membres un à un, et satisfasse ainsi les croyances absurdes de ses hommes en leur offrant les trophées permettant de tenir à distance le malheur ?

« Je suis une Noctamm »

Si elle voulait sauver sa vie et celle des siens, elle devait se fondre dans le personnage qu'il attendait qu'elle joue, tout en préparant sa fuite pour prévenir sa tribu du danger qui la guettait.

« Je suis une Noctamm »

Elle prit une longue inspiration, ferma les yeux, s'imagina quitter la forteresse. Elle filerait en direction de la nuit, s'enfoncerait dans l'obscurité. Là, tous ses sens se mettraient en éveil. Elle goûterait la terre, humerait le vent, écouterait le sol, à la recherche de ses racines.

« Je suis une Noctamm »

Elle ne se projeta pas dans leurs retrouvailles, où elle devrait renouer les fils qu'elle avait volontairement rompus. Non, elle se concentra sur l'instant présent et appela son gardien.

– Je veux voir votre chef, Hector.

Pour seule réponse, il y eut un bruit de verrou. La porte joua sur ses gonds.

Comme la veille, la luminosité lui brûla les yeux quand elle sortit dans la cour, mais elle les garda grands ouverts, décidée à emmagasiner le maximum de lumière. Bientôt, celle-ci lui manquerait terriblement. Elle ressentait déjà l'absence des caresses du soleil sur sa peau. Elle pencha la tête en arrière et offrit son visage au ciel.

37

∞ Tu perds ton temps avec cette fille, rétorqua Mölg à son hôte.

Hector sourit.

– Au contraire, nous avons beaucoup à apprendre d'elle. Si nous parvenons à la mettre en confiance, nous comprendrons peut-être mieux qui sont ces êtres, et pourquoi leurs ombres nous sont hermétiques.

∞ Je n'ai pas investi la tienne pour ton goût de l'étude. Laisse Elliot s'en occuper.

– N'avais-je pas raison en imaginant qu'elle constituerait un parfait appât ? se vanta Hector.

Mölg se dilata de plaisir. Quand il avait rapporté à Hector la relation entre cette fille et Tomas, Hector lui avait tout de suite proposé de l'enlever ; ce qu'il avait approuvé. Mölg était pleinement satisfait de sa complémentarité avec son hôte. La subtilité des sentiments humains lui échappait parfois alors qu'Hector, fin analyste et manipulateur pervers, excellait en la matière. Jamais Mölg n'avait eu d'hôte aussi remarquable. En tuant son hôte précédent, la mère d'Elliot lui avait rendu involontairement service. Hector mort, Mölg avait puisé dans sa réserve d'initiés. Il s'en voulait de ne pas avoir repéré celui-ci plus tôt.

∞ Ils vont bientôt arriver, se réjouit Mölg en prenant de l'ampleur.

– Oui, Curtis a été clair. Ils sont en route. Imagine, Mex et son frère réunis.

∞ Es-tu certain que cette fille suffira à les attirer jusqu'ici ? s'inquiéta Mölg.

– Ils n'ont pas pris le guide proposé par Curtis, trop pressés de se jeter dans la gueule du loup. Il suffit de les attendre. Bientôt, ils seront à nous. Une de nos patrouilles les a repérés dans le marais. Elle a appliqué la consigne et ne les a pas inquiétés.

Hector éclata d'un rire qui emplit la pièce.

∞ Y avait-il besoin de garder la fille en vie ?

– Oui. C'est en la voyant qu'ils entreront. L'être humain a besoin de voir pour croire. Et l'être humain amoureux est prêt à tout. C'est ainsi. Nous promettrons d'épargner la prisonnière en échange de leur coopération. Une fois qu'ils se trouveront entre nos mains, le scalp de la fille fera un excellent trophée.

De nouveau, Hector laissa éclater un rire sonore. Mölg fut traversé par une onde bienfaisante ; la cruauté sans limite de son hôte, si délicieusement employée, l'entraînait dans un état proche de l'extase.

Il pensa à l'autorité dont il jouirait bientôt. Avec Mex sous sa coupe, il saurait convaincre Wiggs de renoncer à son statut de Grand Commandeur. Et s'il refusait, il suffirait de donner un léger coup de pouce au destin pour qu'il disparaisse. Grâce à ses Rogons capables de vibrer comme des Almars désormais infiltrés dans le camp retranché de Wiggs, il parviendrait à ses fins.

Pourtant cette solution n'avait pas sa préférence. Que vaudrait le pouvoir s'il le prenait par la force? Mölg l'imaginait fade. Ce qu'il désirait, c'était disposer d'une légitimité pleine et entière.

∞ Laisse à Elliot le soin de s'occuper de Lylas, répéta Mölg.

– Tu as raison, nous allons préparer un magnifique comité d'accueil à nos visiteurs! s'exclama Hector en se frottant les mains. J'ai ma petite idée. Faites entrer la fille, commanda-t-il au garde qui se trouvait devant la porte de son bureau.

38

Ils avaient presque atteint la rive de l'étang quand Gustave, distrait par un papillon, s'écarta du sillage de Colin. Aussitôt, il sentit ses pieds s'envaser. Il tenta de se dégager mais à chaque mouvement il s'enfonçait un peu plus.

– Je suis coincé ! paniqua-t-il.

– Ne faites aucun geste brusque, lui ordonna Irvin.

L'Ilys d'Irvin vibra aussitôt en direction de Bem.

∞ Arrange-toi pour que ton hôte fasse le moins de gestes possible, il s'enfoncerait plus vite. Et aide-le à contrôler sa respiration. Il ne faut pas qu'il s'affole.

– Je vais le tirer par les bras, lança Colin.

– Non, cela ne servira à rien, répliqua Irvin. On va s'approcher doucement, dit-il à Tomas. Helenn et Colin, ne bougez pas.

Tomas avança avec précaution vers Gustave.

– N'allons pas plus loin, ce serait dangereux.

Irvin s'adressa à Gustave d'une voix posée.

– La vase forme une gangue qui vous maintient prisonnier. Pour vous en libérer, il faut d'abord parvenir à introduire un peu d'eau entre la vase et votre pied. Essayez de le tourner.

– Je n'y arrive pas, annonça-t-il, le visage marqué par l'anxiété.

– On va essayer autre chose. Vous allez bouger votre pied d'avant en arrière. Il va falloir forcer, sans gestes brusques.

Cette fois, l'Ilys de Gustave se mit à la manœuvre. Sans plus de succès. Aussi il suggéra à son hôte de se pencher vers l'avant.

– Oui, c'est parfait, l'encouragea Tomas.

Enfin Gustave parvint à soulever légèrement un pied, puis l'autre.

– Maintenant, vous allez attraper la corde et nous allons vous extraire de là. Surtout, continuez à bouger vos deux jambes.

Tomas, Colin et Irvin, épaulés par leurs Ilys, commencèrent à tirer. Doucement d'abord, puis de toutes leurs forces. Lentement, les jambes de Gustave glissèrent hors de leur gangue. L'instant d'après, il avait rejoint ses compagnons.

– Vous avez été parfait, le félicita Irvin. Mais ne traînons pas, gagnons la berge au plus vite.

– Je m'étonne moi-même d'avoir gardé mon calme, avoua Gustave à Tomas.

– Ne vous sous-estimez pas, vous...

Gustave chuchota à l'oreille de Tomas :

– Vous croyez que je suis idiot au point d'imaginer que je suis seul à régenter ma vie ?

Tomas resta interdit. Gustave avait-il deviné qu'un Ilys résidait dans son ombre et lui dictait ses actes ?

– Eh bien oui. Il y a mes sentiments pour Helenn, confia-t-il. Ce sont eux qui me guident dans certains de mes choix et me poussent à me surpasser.

Tomas laissa échapper un soupir de soulagement. Il n'envisageait pas d'accompagner le passage d'un humain du statut de réceptif à celui d'initié. Il ignorait même si cela était possible.

– Je crois que je suis amoureux, ajouta Gustave avec un entrain inhabituel.

– Je suis content pour vous. Très content, répondit Tomas dans un sourire.

À cet instant, si Gustave avait pu s'envoler comme un papillon, il l'aurait fait. Tomas fut presque déçu que Bem n'en profite pas pour lui faire exécuter une danse dont il avait le secret.

Une fois sur la berge, ils s'affalèrent, épuisés.

– Voyez toutes ces grenouilles, lança Gustave. Quelques cuisses grillées pour le repas, ça vous tente ? Helenn et moi, nous partons à la pêche.

– Hors de question ! lança Tomas. Les marais sont beaucoup trop dangereux. Nous devrons nous contenter de nos provisions.

Mex interpella son hôte :

∞ Je trouve l'endroit bien calme. Pourquoi la patrouille ne nous a-t-elle pas pris en chasse ?

– Je me pose la même question, avoua Tomas. Restons sur nos gardes.

Comme Colin s'était approché d'Irvin pour préparer le bivouac, leurs Ilys en profitèrent pour échanger leurs impressions.

∞ La forteresse est encore loin ? demanda Jegg à Ilb.

∞ Deux jours, peut-être trois. Tout dépendra du rythme de nos hôtes.

∞ Ils sont combien à l'intérieur ?

∞ Des centaines. Peut-être des milliers. Je l'ignore. Mon hôte n'y a jamais pénétré. Pourquoi toutes ces questions ?

∞ Simple curiosité, répondit Jegg.

Depuis qu'il savait la forteresse toute proche, l'impatience troublait sa structure. Bientôt arriverait le moment où il devrait jouer sa propre partition. Les ordres du Haut Conseiller étaient clairs. S'il voulait prétendre à ce poste de chef des troupes, il devait réussir cette mission secrète. Et Jegg était décidé à tout mettre en œuvre pour qu'elle soit couronnée de succès. Pour l'instant, nul ne se doutait de rien. Pas même son hôte.

39

– Tomas, réveille-toi, nous avons un problème, chuchota Colin.

Tomas s'ébroua, quittant à regret son rêve qui l'avait conduit auprès de Lylas, de sa chevelure blanche dansant dans la brise légère.

– Que se passe-t-il ? demanda-t-il en se redressant.

– Helenn ne va pas bien.

D'un bond, Tomas se leva puis se dirigea vers elle. Elle dormait d'un sommeil agité, roulait sa tête de gauche à droite en geignant.

Tomas la toucha.

– Elle est brûlante, annonça-t-il. Il faut réveiller Irvin. Il saura peut-être la soigner.

Quelques secondes plus tard, Irvin s'approchait, les yeux embrumés de sommeil, et examinait Helenn. Il vérifia son pouls, observa ses lèvres, posa la main sur son front.

– La fièvre des marais, conclut-il. Elle a été infectée par les moustiques.

– C'est grave ? questionna Tomas, soucieux.

Deux plis creusèrent son front.

– Certains ne s'en remettent pas.

– Que peut-on faire ?

– Il faut la faire boire et attendre.

Tomas souleva sa chemise et fixa la sacoche contenant les terres de Lylas. L'une d'elles permettait de faire tomber la fièvre. Mais laquelle ? Et à quel dosage ? Il procéda à un rapide inventaire des solutions qui s'offraient à eux et soupira. Ils n'avaient pas le choix.

– Réveille Gustave, souffla-t-il à Colin, nous reprenons notre route vers la forteresse.

Inquiet, Gustave se précipita aux côtés d'Helenn et lui saisit la main.

– Gustave, restez avec Helenn et faites-la boire régulièrement, recommanda Tomas. Nous, nous allons construire une civière.

Il s'éloigna avec Irvin tout en s'interrogeant. N'avait-il pas commis une erreur en acceptant la jeune femme parmi eux ? Et Colin n'avait-il pas eu raison de s'opposer à ce qu'elle les accompagne ?

Ils coupèrent des roseaux, qu'ils tressèrent en un long rectangle auquel ils fixèrent deux bras constitués de tiges épaisses.

– Ça tiendra, affirma Irvin.

Ils couchèrent Helenn, qui délirait, sur la civière. Les cernes sous ses yeux étaient profonds et les gouttes de sueur sur son front nombreuses.

— Je la porterai avec Irvin pour commencer, déclara Tomas, nous nous relaierons. Rassemblez vos affaires, nous partons.

Bruissant dans les massifs de roseaux, un vent fort se leva, rendant leur progression plus pénible.

Après de longues heures, Irvin marqua une pause. Les langues de terres gorgées d'eau qu'ils avaient jusque-là traversées cédaient la place à un immense marécage.

Après avoir déposé la civière, Irvin s'approcha de Tomas.

— Ne te laisse pas abuser par cette eau stagnante peu profonde. Sous son apparence inoffensive se cachent de terribles pièges. Le fou qui se risquerait à traverser cette zone irait droit vers la mort.

— Par où allons-nous passer alors ?

— Regarde ces digues, elles forment un vaste réseau qui permet à celui qui en maîtrise les connexions de circuler à pied sec.

À un bon mètre au-dessus du niveau de l'eau, des digues naturelles, couvertes d'herbe verte et de végétation rase, s'étendaient à perte de vue, constituant un dédale complexe. Par endroits, les talus étaient hérissés de bouquets de joncs formant d'opaques rideaux.

— Les patrouilles rogons elles-mêmes n'en connaissent pas tous les secrets, reprit-il. D'ailleurs, elles s'y aventurent rarement, convaincues qu'il n'y a aucune issue à ce labyrinthe et que celui qui y pénètre, épuisé de la chercher, ne pourra résister à la tentation de franchir ces zones submergées et se noiera dans un trou d'eau. Elles s'en remettent à ce marécage pour protéger la forteresse et s'éloignent peu de l'unique voie d'accès et des abords immédiats de leur place forte.

— Toi, tu es capable non seulement de nous y guider, mais aussi de nous en faire sortir sans qu'on soit inquiétés par les Queues de cheval? l'interrogea Tomas, incrédule.

— Oui, répondit simplement Irvin en le gratifiant d'un clin d'œil complice.

Colin et Gustave prirent le relais pour porter la civière. Helenn était paisible malgré les secousses. Un seul nom revenait sur ses lèvres quand elle émergeait de son sommeil. Elliot.

À l'aide d'un tissu mouillé qu'il pressait au-dessus de sa bouche, Gustave l'hydratait régulièrement.

Irvin les menait avec aisance dans ce lacis compliqué. Tomas en profita pour l'interroger.

— Et cette forteresse, à quoi ressemble-t-elle ?

— Elle s'élève sur un plateau rocheux au cœur des marais. Peu de végétation tout autour, ce qui rend impossible une progression à découvert. Elle est étroitement gardée, tout comme l'unique voie qui y mène.

— Ses points faibles ? le coupa Tomas.

– Je n'en connais pas, avoua-t-il après quelques secondes de réflexion. La forteresse est solide. Les Rogons ont procédé à plusieurs extensions. Ils ont même remblayé une zone de marais pour y faire de nouvelles constructions.

– Qui exécute les travaux ?

Irvin eut un sourire amer.

– Les Rogons possèdent des réserves d'hommes et de femmes qu'ils utilisent comme esclaves. Leurs troupes procèdent à des enlèvements à Galbar et dans ses environs quand ils viennent à en manquer. Ils sont puissants, ne redoutent rien ni personne.

Tomas serra les poings. Plus il se rapprochait de Lylas, plus le fossé qui les séparait semblait grandir.

De digue en digue, de bivouac en bivouac, ils marchèrent deux jours durant lesquels l'état d'Helenn ne montra aucun signe d'amélioration. Ils aperçurent des patrouilles, au loin, qui ne les repérèrent pas.

Enfin, le troisième jour, la fièvre d'Helenn commença à tomber.

– Où sommes-nous ? demanda-t-elle.

Le visage de Gustave s'illumina tandis qu'Irvin s'exclamait :

– Bravo, vous avez vaincu la fièvre des marais. Vous êtes solide.

Elle tenta de se redresser.

– Non, pas question de vous lever, ajouta-t-il, vous êtes encore faible. Et nous arrivons.

Irvin leur fit traverser un épais rideau de joncs. Très vite, ils atteignirent une étendue couverte d'herbe verte et entourée de buissons épais.

— Nous allons installer notre campement ici, annonça-t-il.

— L'endroit est sûr ? s'inquiéta Tomas en jetant un coup d'œil circulaire.

— À l'abri des regards, au centre d'un labyrinthe inextricable et d'un marécage truffé de pièges. On ne peut rêver meilleure protection. Fais-moi confiance.

Ils bricolèrent un abri de fortune. Au sommet de deux grandes branches enfoncées dans le sol, Irvin attacha une corde, qu'il lia un peu plus loin au sol à un piquet. À l'aide de roseaux, il tressa une natte en guise de toit.

— Partons en reconnaissance jusqu'à la forteresse, décida Tomas une fois le bivouac installé. Je suis impatient de la voir de près.

— Je vais t'y conduire.

40

Il régnait dans le bureau une atmosphère suffo-
cante.

– Qu'attendez-vous de moi ? le défia Lylas, sur un
ton qu'elle espérait mesuré.

– Je te l'ai dit, tu représentes pour moi une curiosité. J'ai envie de te connaître.

Le ton d'Hector était doux, avenant. Lylas demeura
cependant sur ses gardes.

– Nous ne te ferons aucun mal, ajouta Hector.
Je ne suis pas comme ces barbares ignorants qui
ont lynché tes semblables avant de les scalper pour
accrocher leur chevelure à leur porte. Tant que tu es
sous ma protection, il ne t'arrivera rien.

La menace était à peine voilée.

– Comme je n'ai malheureusement pas le temps
de m'occuper de toi, poursuivit-il, je vais te confier
à Elliot.

Lylas se raidit.

– Tu n'as rien à craindre. Elliot est comme mon fils.

Hector fit un signe au garde et la porte du bureau s'ouvrit.

– Entre, Elliot. Voici Lylas.

Elle se retourna et vit approcher un jeune homme à la carrure imposante. Son regard sombre durcissait son visage grave. Dans ses yeux, une lueur enfouie lui rappela Helenn. Elle observa sa bouche, fine, et là encore reconnut sa mère.

Il lui tendit une main décidée, qu'elle saisit après une hésitation.

À son contact, elle perçut en lui une multitude de contradictions; des déchirures aussi.

– Considère que Lylas est notre invitée, annonça Hector.

– Très bien, répondit simplement Elliot en évitant de croiser son regard.

– Fais-lui visiter la forteresse. Si elle a besoin de quoi que ce soit, accorde-le-lui. Je veux qu'elle se sente bien parmi nous.

Sans un mot, Elliot fit signe à Lylas de le suivre et ils quittèrent le bureau d'Hector.

Il marchait un mètre devant elle, sans se soucier de savoir si elle l'accompagnait. Contrairement aux autres, il ne portait pas les cheveux longs. Sa coupe courte dégageait sa nuque.

– Là, ce sont les bâtiments de casernement, expliqua-t-il sans conviction en tendant la main sur la gauche. Là-bas la cantine, plus loin il y a les zones d'entraînement.

Elle accéléra le pas pour ne pas se laisser distancer. Les hommes qu'ils croisaient marquaient leur surprise devant l'improbable duo qu'ils formaient. Mais au-delà des regards curieux, c'étaient l'inquiétude et le rejet qu'elle sentait et, toute proche, la haine. Un frisson glacé lui parcourut le dos. Elle combla la distance qui la séparait d'Elliot.

– Là, la salle d'armes. Là, les réserves. Là...

– Tu es heureux ici ? le coupa-t-elle.

Sa question resta sans réponse.

Ils longèrent d'imposantes palissades en bois, constituées de troncs énormes plantés dans le sol, jusqu'à une tour de guet où des hommes en armes surveillaient l'extérieur et les allées et venues à l'intérieur de la forteresse.

Si l'objectif d'Elliot était de lui faire comprendre qu'elle n'avait aucune chance de s'échapper, il était presque atteint. Pourtant elle devait fuir.

« Je suis une Noctamm »

Elle se força à adresser un sourire à Elliot, il détourna les yeux.

La visite se poursuivit sur le même rythme. Lylas posait des questions, qui ne trouvaient pas d'écho. Elle tenta d'effleurer sa main pour percevoir la faille qu'elle devinait en lui, elle n'y parvint pas.

Elle devait faire d'Elliot un allié. Lui donner confiance, pour qu'il lui livre les informations nécessaires à sa fuite. Elle pouvait lui parler de sa mère pour tenter de briser sa carapace, mais dans son ombre Mazz veillait. Leurs paroles étaient écoutées et sans aucun doute instantanément transmises pour être disséquées par Hector et Mölg.

Ils passèrent devant la porte principale. Une douzaine de gardes en gardaient l'accès.

C'est alors que deux d'entre eux tirèrent la lourde poutre glissée dans les battants tandis que d'autres les ouvraient en grand. Ils tournèrent sur leurs gonds et libérèrent une colonne d'humains aux crânes rasés, les vêtements maculés de boue et de vase, encadrés de gardiens.

– Que font-ils ? s'enquit Lylas, saisie de stupeur.

– Ils participent aux travaux d'entretien de l'enceinte. Puisqu'ils sont là, autant qu'ils soient utiles, répondit-il d'un ton cynique.

Lylas observa en silence la longue colonne d'esclaves. Elle tenait peut-être le moyen de fuir et d'alerter les membres de sa tribu.

LA
FORTERESSE

41

Sombre, massive, tel un vaisseau semblant flotter au-dessus du marais, l'imposante forteresse écrasait le paysage de sa toute-puissance. Elle était posée sur un socle rocheux à quelques mètres de hauteur, d'immenses palissades l'entouraient, surmontées à intervalles réguliers de tours de guet. Tomas et Irvin l'observaient en silence, allongés parmi les herbes.

Lylas n'était plus qu'à quelques centaines de mètres. Tomas aurait eu envie de se lever, de mettre ses mains en porte-voix, de lui hurler qu'il était là, qu'il l'aimait. Qu'elle sache. Il lui murmura la promesse qu'ils seraient bientôt réunis. À l'idée de la serrer dans ses bras, son cœur palpita.

Il devait désormais trouver le moyen de pénétrer dans la forteresse. Il évalua la hauteur de l'enceinte, repéra les hommes armés dans les tours. Alors il se pencha vers Irvin.

– Où est l'entrée ?

– À l'opposé. Large fossé, double porte, avec de part et d'autre une tour de guet permettant d'arrêter toute personne qui s'en approcherait. Rien à espérer de ce côté-là.

– Tu connais le moyen de nous y introduire ? tenta Tomas.

– Tu m'as demandé de te guider jusqu'ici, pas de te faire entrer dans la forteresse. Ça, c'est pas dans mes compétences.

– Je veux juste ton avis, s'irrita Tomas.

– Quand je viens dans les marais, j'évite cette zone. J'ai pas envie de courir le risque d'être capturé et de tomber sous l'emprise des Rogons.

À cet instant, une onde funeste se propagea dans la structure de Mex, provoquant une subite contraction de sa structure.

∞ Tomas, interpella-t-il. Je viens de capter un message.

– Un message de qui ? À quel sujet ?

∞ Un message des Rogons. Il provient de l'intérieur de la forteresse.

– Vite, dis-moi, s'empressa Tomas.

∞ Ils détiennent Lylas. Ils proposent un échange.

– Un échange ?

∞ Lylas, contre... toi. Et c'est signé...

– Vas-y, je t'écoute, s'impatienta Tomas, saisi par l'angoisse.

∞ ... Mölg.

Bouleversé, Tomas se figea. L'assassin de ses parents n'avait donc pas disparu avec la mort d'Hector, comme il l'avait espéré. Et il détenait Lylas. Tomas le savait prêt à toutes les atrocités.

Irvin, lui aussi informé par son Ilys de la proposition des Rogons, se tourna vers son compagnon.

– Quelqu'un nous a trahis, lâcha Tomas. Ils nous attendaient.

– On ne peut pas dire que votre séjour à Galbar ait été discret, intervint Irvin. Et à Galbar, la pression de la milice rogon est telle que chacun ne demande qu'à parler.

Tomas se remémora leur passage chez l'aubergiste puis chez Curtis, son offre de services, la sensation désagréable qu'il lui avait inspirée.

– C'est certainement Curtis, conclut-il. Et les Rogons nous ont laissé parvenir jusqu'à la forteresse pour nous piéger et nous imposer cet échange. Retournons auprès de Gustave, Helenn et Colin. Je dois les consulter avant de prendre ma décision.

42

À mesure que les heures passaient, l'hostilité d'Elliot se dissipa, ses commentaires laconiques s'étoffèrent puis il proposa à Lylas de s'asseoir sur un rondin de bois derrière le terrain d'entraînement.

– D'où viens-tu? interrogea-t-il sans la regarder.

Sur ses gardes, Lylas veilla à n'évoquer que des éléments dont il avait déjà connaissance.

– De la nuit, répondit-elle.

– La nuit est immense, tenta-t-il, pour la relancer.

Il frottait ses mains l'une contre l'autre, gêné par ses propres questions. Il aurait sans doute souhaité être plus subtil.

Elle fit mine de ne pas le remarquer et joua les naïves.

– Oui, la nuit est immense, et surtout bien noire. Y as-tu déjà pénétré?

– Seulement à sa périphérie. Là où l'on distingue encore les formes. Personne ne s'aventure au-delà. De quelle partie de la nuit viens-tu?

– Vous définissez la position d'un lieu en fonction d'un autre, expliqua-t-elle. *Au sud de, plus loin que, à deux jours de marche de, derrière la colline.* Mais cela nécessite de voir. En l'absence de lumière, nous ne pouvons procéder ainsi. Alors nous faisons nôtre l'espace extérieur. Nous le ressentons, et c'est cela qui nous guide.

Elliot l'écoutait en silence.

Un groupe de soldats passa, qui leur lança des œillades appuyées.

– Je ne comprends pas, finit-il par avouer.

– Donne-moi ta main, fit-elle d'une voix douce, je vais te montrer.

Elliot hésita, la sonda du regard. Elle esquissa un sourire et les craintes d'Elliot s'envolèrent.

Le cœur de Lylas battait fort. La main du jeune homme, qu'elle avait tant de fois cherché à effleurer, allait se retrouver dans la sienne et lui parlerait.

Il lui tendit la gauche, paume vers le ciel. Elle était grande et puissante. Elle posa sa main à plat sur la sienne. Gêné, il la retira.

– Ne crains rien, je veux simplement t'expliquer notre manière de percevoir l'espace.

Elliot présenta de nouveau sa main. Cette fois-ci, elle posa son index juste en dessous de son majeur.

– Peux-tu dire où se trouve mon doigt?

Étonné, il répondit :

– Il est situé sur la paume de ma main, juste en dessous de mon majeur.

– Maintenant ferme les yeux.

Il eut une nouvelle hésitation et, une fois encore, le sourire de Lylas la fit disparaître.

– Je vais poser un doigt sur ta main.

Elliot prit une longue inspiration.

– Maintenant, je suis sûre que tu peux me dire où se trouve mon doigt.

– Oui, murmura-t-il.

– Tu le sais parce que tu le ressens. Tu n'as pas besoin de voir avec tes yeux, tu sais exactement où il se trouve. Si je déplace mon doigt, tu peux suivre son mouvement. Si je pose ma main à plat sur la tienne, tu le détectes aussi.

Elle perçut les battements du cœur d'Elliot, le sang circuler dans ses veines. Elle capta ses angoisses, ses doutes et son besoin de tendresse. Enfouies dans les profondeurs de son être, il y avait de la douceur et une sensibilité certaine, mais personne ne les lui avait révélées. Elle décela enfin une blessure, dont il n'avait sans doute plus conscience.

– Je comprends, annonça Elliot en retirant sa main, poussé par son Ilys.

Lylas ne la retint pas, satisfaite d'avoir d'établi un contact. Elle aurait pu lui expliquer que son peuple se repérait aussi en observant les étoiles, toutefois elle aurait été obligée de livrer des informations précises sur la localisation de sa tribu.

Elle eut envie de lui parler de sa mère, mais la proximité de son Ilys l'en empêchait. Elle usa donc d'un subterfuge.

– Redonne-moi ta main.

– Encore ?

– Je vais te montrer qu'elle peut capter une foule de sensations.

Elle la pressa fermement, dans un léger mouvement de bas en haut.

– C'est la confiance, commenta-t-elle.

Elle serra son poing.

– Voici la colère.

Elle relâcha la pression, fit trembler sa main dans la sienne.

– Ceci est la peur et la fragilité.

Elle la caressa avec une extrême douceur. Elliot la regardait sans comprendre.

– Et ceci est l'amour d'une mère pour son fils.

Il frémit et, dans l'instant, elle sentit la blessure se rouvrir au plus profond de lui. Il se ressaisit et retira sa main. Il la fixa un instant avant de détourner son regard.

– On poursuit la visite ? proposa-t-il.

Lylas avait trouvé ce qu'elle cherchait. Elle savait désormais qui était Elliot.

43

– Je vais accepter leur proposition, annonça Tomas après avoir révélé à ses compagnons le message des Rogons.

Gustave écarquilla les yeux, Colin resta bouche bée et Irvin secoua la tête en signe de dépit.

Mex était devenu opaque. Il était déchiré. Se rendre aux côtés de Tomas revenait à trahir son peuple. Refuser reviendrait à trahir son hôte.

– Tu ne peux pas y aller, Tomas, s'exclama Colin. Essayons de gagner du temps. Tout d'abord, il faut s'assurer qu'ils détiennent réellement Lylas.

– Colin a raison. J'accepte de servir d'émissaire, proposa Gustave.

– Non, si l'un d'entre nous doit s'y rendre, ce sera moi, affirma Colin d'un ton presque agressif.

Tous les regards se tournèrent vers Tomas.

∞ C'est à toi de trancher, lui souffla Mex.

– Je sais, je sais, murmura Tomas, la voix empreinte de lassitude.

Il demeura silencieux puis finit par lâcher :

– J'ai besoin d'être seul un moment.

Il se leva et s'éloigna sur les chemins herbus formés par les digues. À son passage, de gros crapauds marron bondirent dans l'eau en coassant mais, tout à sa réflexion, il ne les vit pas. Enfin il s'adressa à Mex :

– Si tu quittes mon ombre, ma reddition sera sans conséquence pour le peuple almar.

∞ N'y pense même pas, opposa Mex dont la structure s'était troublée sous l'effet de la stupeur.

– Peut-être un jour pourrai-je m'échapper.

∞ Réfléchis. S'ils te veulent, c'est à cause de ma présence dans ton ombre. Si je la quittais, ils s'en rendraient compte et t'élimineraient aussitôt sans état d'âme.

Tomas haussa les épaules. Il arracha une herbe haute et la porta à sa bouche. Elle avait un goût de vase, il cracha avec dégoût.

∞ Nous sommes ensemble et nous le resterons, poursuivit Mex.

– Je dois sauver Lylas, martela son hôte avec force.

∞ Il faut te reprendre, lui souffla Mex.

Tomas continua à marcher, pesant chacune des options qui s'offraient à lui, en mesurant les avantages et les inconvénients ; les conséquences aussi.

Perdu dans ses pensées, il ne vit pas le spectacle des échassiers fouillant la vase en quête de nourriture, ni le ballet des araignées à la surface de l'eau.

– On retourne au campement, annonça-t-il enfin à Mex d'une voix ferme et décidée.

Alors qu'il pivotait pour prendre le chemin du retour, il aperçut une mince silhouette s'engouffrer dans un trou de la digue. Il se raidit, suffoqué par la surprise.

∞ Que se passe-t-il ? s'inquiéta Mex.

– Là... devant... il y avait...

∞ Je n'ai senti aucune vibration. Ce devait être un animal.

– Non, c'était un humain. Il nous observait et, quand je me suis retourné, il a plongé dans un trou.

44

Elliot gardait à présent ses distances face à Lylas. Il poursuivit la visite des installations, en se contentant pour chaque lieu d'un commentaire lapidaire. Elle observa son trouble sans chercher à renouer le contact. Puis il la conduisit dans un bâtiment isolé réservé au stockage des denrées alimentaires. Là, il ouvrit la porte d'une pièce étroite éclairée par une unique fenêtre. L'endroit, à peu près propre, était meublé d'un lit et une table.

– Tu vas t'installer ici, lui annonça-t-il.

Lylas se raidit. Ses pensées allèrent aussitôt vers la prisonnière qui occupait la geôle sous la sienne.

– Je souhaite retourner dans ma cellule, dit-elle.

Elliot marqua sa surprise.

– C'est impossible. Tu loges ici désormais. Ordre d'Hector.

– La femme qui occupait la cellule sous la mienne va-t-elle sortir aussi ? demanda-t-elle.

Elle lut le trouble sur le visage d'Elliot.

– Tu... commença-t-il, avant que sa bouche ne se ferme et qu'il pivote pour sortir.

Son Ilys venait de prendre le contrôle.

« Maudits Ilys »

Quand il eut refermé la porte à clé, elle se posta derrière les barreaux de la fenêtre et demeura un long moment à observer les allées et venues des patrouilles, mais aussi de ces hommes et de ces femmes au crâne rasé et à la démarche mécanique, dont le seul avenir était de servir les Rogons jusqu'à l'épuisement. Lylas se réjouit que son ombre soit hermétique aux Ilys. Ce qui l'avait dans un premier temps gênée, quand Tomas avait pointé cette différence, lui assurait une parfaite et définitive liberté. Elle n'aurait à composer qu'avec sa conscience.

« Je suis libre »

Cette certitude fut aussitôt tempérée par la présence des barreaux à la fenêtre.

« Libre, mais prisonnière »

Elle réfléchit quelques instants.

« Je suis prisonnière, mais libre », corrigea-t-elle.

Elle s'étendit sur le lit, croisa ses mains sous sa tête, puis se lança dans une intense réflexion. Parviendrait-elle à se glisser parmi ces prisonniers ?

Plus tard, un homme pénétra dans la pièce et posa une gamelle sur la table. Quand il eut le dos tourné, elle se leva en silence et arma son bras pour le frapper. L'homme ne broncha pas. Elle était bien invisible aux Ilys. Elle se revit surprenant Tomas quand elle le retrouvait dans la garrigue. Le voir sursauter l'amusait. À l'époque, elle n'avait pas cherché à expliquer ce phénomène.

Elle se sentit soudain plus forte.

Elle fit défiler devant ses yeux la garrigue qu'elle avait tant aimée, au point d'avoir voulu s'y installer et d'y construire sa vie. Elle garderait toujours ces images en elle et, quand la nuit lui pèserait trop, les ferait remonter de sa mémoire pour se baigner dans leur lumière.

Elle se regarda un instant dans le petit miroir accroché au mur.

« Je suis une Noctamm » affirma-t-elle.

« Je suis une Noctamm »

45

Tous les regards se braquèrent sur le visage blême de Tomas.

– Tu as vu un fantôme? s'inquiéta Gustave.

– Il y avait quelqu'un, là-bas sur la digue, qui m'observait. Quand je me suis retourné, il a plongé dans un trou.

– Le peuple des marais, annonça Irvin.

Tous se tournèrent vers lui, intrigués.

– Oui, le peuple des marais, reprit-il. Ils ne sont pas hostiles, plutôt craintifs. C'est très rare de les apercevoir.

– Qui sont-ils?

– Des enfants que leurs parents ont abandonnés ici à cause de leurs malformations mentales ou physiques. Certains affirment que garder un tel enfant dans sa maison empêche d'avoir une descendance normale. Alors les parents n'hésitent pas à les abandonner.

– Où vivent-ils ? s'indigna Gustave, horrifié.

– Sous les digues, dans des galeries.

Gustave fixa le sol.

– Là ? Juste en dessous de nous ?

Irvin éclata de rire.

– Oui, mais ne craignez rien, ils ne viendront pas vous mordre les fesses.

Colin éclata de rire à son tour. Gustave le fusilla du regard.

– Comment se nourrissent-ils ? poursuivit-il.

– De racines, de vers de terre, d'œufs d'oiseaux qui nichent dans les parages, répondit le jeune guide.

Gustave eut un haut-le-cœur.

– Tu les connais ? interrogea Tomas, intrigué.

– Je les ai aperçus à plusieurs reprises. Ils ne parlent pas, n'ont pas d'Ilys...

Gustave éternua bruyamment, couvrant le dernier mot d'Irvin.

– Pas de quoi ? reprit-il.

Tomas se lança :

– Pas de... pas de... pas d'illusion sur... euh...

– Sur leurs chances de retourner un jour chez leurs parents, acheva Colin.

– Ah, fit Gustave.

∞ Bravo pour l'éternuement, vibra Mex en direction de l'Ilys de Gustave.

∞ J'ai l'habitude, confia Bem. Gustave n'est entouré que d'initiés, je dois en permanence rester sur mes gardes.

∞ Ces enfants nichés dans les digues n'ont réellement pas d'Ilys dans leur ombre ? s'étonna Mex. Pourquoi ?

∞ Ils vivent dans le noir, sont aussi sauvages que des bêtes et en plus ils sont estropiés. Quel Ilys irait se glisser dans leur ombre ? commenta Ilb.

Colin se tourna vers Tomas.

– As-tu décidé lequel d'entre nous se rendrait à la forteresse ? demanda-t-il, les sourcils froncés.

Tomas s'éclaircit la voix.

– Gustave et toi allez vous y rendre pour vérifier qu'ils détiennent bien Lylas.

Colin parut satisfait par ce choix. Gustave, lui, afficha sa fierté d'avoir été retenu.

– Je souhaite me joindre à eux, annonça Helenn. Je veux voir mon fils.

– Non, répondit calmement Tomas. Si tu pénètres dans cette forteresse, Hector ne te laissera pas ressortir. Nous resterons tous les deux avec Irvin à l'extérieur.

L'Ilys d'Helenn sentit sa structure se dilater de soulagement. Demeurer à l'écart lui convenait parfaitement. Il s'était une fois laissé entraîner par Helenn à collaborer avec les Rogons pour tenter de sauver Elliot et avait mal vécu d'être considéré comme un traître. Mais il savait combien il était difficile de s'opposer au caractère déterminé de son hôte.

– Quand partons-nous ? pressa Colin, impatient.

– Il faut d'abord vérifier que les Rogons acceptent cette visite préalable pour nous assurer de la présence de Lylas, expliqua Tomas.

∞ Tu seras notre porte-parole auprès de Mölg, vibra Mex en direction de Bem. Annonce-lui simplement que Tomas est prêt à se rendre, mais qu'en contrepartie, en plus de la liberté de Lylas, il veut obtenir la paix pour les Almars.

∞ Rien que ça ? s'étonna Bem.

∞ Tomas est jeune et amoureux. Ils doivent le prendre pour un idéaliste un peu rêveur sinon comment justifier qu'il accepte de se rendre ?

L'Ilys de Colin, lui, ne participait pas à cet échange. Sa surface, d'habitude parfaitement lisse, laissait apparaître de très légères rides concentriques trahissant son intense concentration. Il se remémorait la description par le Haut Conseiller de la vibration de Mazz. Il n'aurait qu'une fraction de seconde pour l'identifier avec certitude avant d'agir. Il était confiant ; tout se déroulait comme prévu. Aucun des Ilys, ni même son hôte, ne l'avait percé à jour.

Sur un signe de Tomas, ils se mirent en route. Irvin en tête, pour indiquer le chemin, suivi d'Helenn, qui avait tenu à les accompagner.

Ils se placèrent sur un petit monticule, bien visible de la forteresse. Le silence du lieu était total. Sans le panache de fumée qui s'élevait à la verticale, ils auraient pu penser qu'elle était inhabitée.

∞ À toi de jouer, Bem, lança Mex.

Avant d'interpeller Mölg, celui-ci lissa sa structure et prit de l'ampleur.

∞ Mölg, vibra-t-il avec force, nous venons répondre à votre proposition.

La réaction ne se fit pas attendre.

∞ Je constate que vous êtes des sages, je vous écoute.

La vibration de Mölg, grave et ferme, secoua la structure de Mex. Même si elle tentait de se faire douce et avenante, elle n'en restait pas moins menaçante.

∞ Nous voulons nous assurer que Lylas est vivante, reprit Bem.

Il y eut un temps de silence.

∞ Que vos hôtes observent le sommet de la tour, annonça Mölg.

Après quelques minutes d'attente, la silhouette de Lylas se détacha sur le ciel. Pour Tomas qui l'avait tant de fois guettée du haut de la colline, il n'y avait aucun doute. C'était elle. Son cœur bondit dans sa poitrine. Une bourrasque de vent, aussi soudaine que brève, souleva son ample chevelure blanche. Tomas l'interpréta comme un témoignage de son amour, soutenu par la nature tout entière.

∞ Nos hôtes souhaitent parler avec elle pour être certains qu'elle va bien, annonça Bem. Ils seront deux, ajouta-t-il avant que Mölg ne dicte ses conditions.

Cette fois, la réponse fut plus longue à leur parvenir.

∞ Qu'ils se présentent à la porte principale.

Avant que Gustave et Colin ne s'éloignent, Tomas posa une main amicale sur l'épaule de Colin. Il aurait tant aimé prendre sa place, approcher Lylas, plonger dans son regard, la serrer dans ses bras et surtout lui dire combien il l'aimait, combien sa vie manquait de sens depuis qu'elle n'était plus à ses côtés.

46

Allongée sur son lit, Lylas détaillait son plan. Il était simple : profiter de son invisibilité auprès des Ilys et le devenir aux yeux des humains. Pour cela, elle devait se fondre dans la masse.

Ce qui la rendait identifiable, c'était sa longue chevelure blanche. Elle était décidée à la couper si court qu'on n'en verrait plus la moindre trace.

Ensuite, elle n'aurait plus qu'à se glisser au sein d'un groupe chargé des travaux de renforcement de la palissade. Une fois dehors, elle leur fausserait compagnie.

Puis elle gagnerait la nuit et rejoindrait son peuple.

« Je suis une Noctamm »

Elle se redressa brusquement en entendant la clef tourner dans la serrure. La porte s'ouvrit. Elliot pénétra dans la pièce.

– Lève-toi, annonça-t-il. Tu as de la visite.

Il tentait de gommer toute émotion de sa voix, mais elle capta un léger trouble dans ses intonations.

Qui pouvait venir jusqu'à elle ? Dans un mélange de crainte et de curiosité, elle obtempéra.

D'un pas vif, il la précéda à travers le campement jusqu'à un groupe d'hommes au milieu desquels se tenait Hector.

– Monte, ordonna-t-il en désignant une des tours de guet qui surplombaient la porte principale.

Devant son hésitation, il poursuivit, impassible :

– Tu n'as rien à craindre.

Elle grimpa un à un les barreaux de l'échelle, heureuse de revoir l'horizon. Peut-être parviendrait-elle à identifier un passage pour assurer sa fuite ?

Une fois au sommet de la tour, elle fut saisie par le spectacle à la fois superbe et effrayant. Superbe par ses couleurs, sa verdure. Effrayant par son étendue. Aussi loin que son regard portait, il n'y avait rien d'autre que des étendues marécageuses. Par endroits pointaient des bouquets de roseaux et de joncs. Sur les talus émergés couverts d'herbe rase s'accrochaient d'innombrables buissons, où nichaient de grands oiseaux blancs. Ces talus formaient un réseau qui courait entre les trous d'eau et les étangs, dessinant un quadrillage désordonné. Elle vit là le moyen de fuir la forteresse.

Elle contempla le spectacle de la nature, espérant qu'elle serait son alliée, enregistrant chaque détail. Ici un échassier, là une zone d'eau ridée par le vent.

Son regard fut soudain attiré par une présence incongrue. Cinq personnes se tenaient au sommet d'un talus, à une centaine de mètres, et la fixaient. Elle plissa les yeux pour mieux les distinguer. Quand elle les reconnut, une vive douleur lui serra le cœur.

« Tomas, Helenn »

Un souffle de vent souleva ses cheveux. Elle fut tentée de leur adresser un geste, mais se retint. Comment leur signifier que leur présence allait compromettre sa fuite ?

– Descends, lui intima Hector.

Elle jeta un dernier regard à l'horizon puis regagna la cour. L'air était doux, le ciel limpide, pourtant un poids terrible pesait sur ses épaules.

Précédés par Hector, Lylas et Elliot gagnèrent la porte d'entrée. Verrait-elle Tomas ? Pourrait-elle lui parler ?

Elle devait trouver les mots qu'elle prononcerait si l'occasion se présentait. Mais comment lui faire comprendre que son destin l'appelait désormais ailleurs et que son ardeur à la rejoindre gênerait sa fuite ? L'accepterait-il ?

« Non, bien sûr »

Elle se débattait avec ses doutes quand l'ordre d'ouvrir la porte fut donné. Ses mains tremblaient, sa gorge se noua.

Deux hommes apparurent. Colin, qu'elle avait déjà croisé chez Rose Mama, était escorté d'un inconnu. Où avait disparu Tomas ?

Ils s'approchèrent, méfiants, se retournant pour s'assurer que le piège ne se refermait pas sur eux.

– La voilà, annonça Hector, resté en retrait. Vous pouvez constater qu'elle est en bonne santé.

L'inconnu s'approcha doucement d'elle et la scruta avec maladresse de la tête aux pieds.

– Où est Tomas ? s'enquit-elle dans un murmure.

– Dans les marais, répondit-il sur le même ton en fuyant son regard.

– Que me voulez-vous ? s'inquiéta-t-elle.

– Vous libérer, lui glissa Gustave.

– C'est trop dangereux. Dites à Tomas de n'en rien faire.

Elle s'apprêtait à lui demander de lui transmettre combien elle l'aimait quand elle aperçut Colin bondir sur Elliot. Elle n'eut que le temps de crier :

– Elliot, attention !

Le jeune homme pivota, ne put éviter la lame qui pénétra dans son ventre. Deux soldats surgirent. Gustave s'élança droit devant lui. Plusieurs hommes tentèrent de l'intercepter, mais il les déborda d'un saut périlleux, roula sur le sol, distribua les coups à une rapidité telle qu'aucun n'eut le temps de parer. Une fois ses assaillants à terre, il franchit la porte puis disparut derrière la palissade.

Aussitôt, une douzaine de gardes s'apprêtèrent à le poursuivre.

– Arrêtez, ordonna Hector. Laissez cet homme aller raconter à ses amis ce qu'il a vu. Nous détenons toujours celle qu'ils sont venus chercher. Ils reviendront, et nous serons là pour les accueillir.

Trois soldats s'étaient jetés sur Colin qui rendait coup sur coup. Un d'entre eux le saisit par la nuque, planta son genou dans son dos. Les autres lui immobilisèrent les bras et le traînèrent en direction du bâtiment où Lylas avait été détenue.

Elliot se tenait le ventre, la main couverte de sang.

– Laissez-moi, protesta-t-il quand les soldats voulurent l'aider à se relever. La blessure n'est que superficielle, ajouta-t-il d'une voix plus calme.

Lylas recula, horrifiée. En voulant protéger Elliot, elle avait condamné l'homme venu la libérer. Elliot la fixa d'un regard plein de reconnaissance. Une partie de ses doutes s'envolèrent. Il méritait qu'elle le sauve.

47

Pressé par son Ilys, Gustave courait à travers les roseaux pour rejoindre Tomas et Helenn.

– Colin n'est pas avec toi ? s'étonna Tomas en le voyant arriver seul.

– Il est retenu dans la forteresse, avoua Gustave.

– Il faut filer d'ici et vite, ordonna Irvin. Suivez-moi.

D'un pas vif, il les entraîna dans le dédale de digues jusqu'à leur abri, contournant les pièges, évitant les passages sans issue.

Ils étaient à peine arrivés que Tomas et Helenn bombardèrent Gustave de questions.

– Vous avez vu Elliot ? s'inquiéta Helenn.

– Et Lylas ? demanda Tomas.

– Je l'ai vue aussi, commença-t-il, mais...

– Elle va bien ? le coupa Tomas, fou d'appréhension.

– Oui, oui, très bien... quand Colin s'est jeté sur Elliot, lame en avant...

Sa voix tremblait.

Helenn poussa un cri d'effroi.
- Tu es certain qu'il s'agissait d'Elliot ?
- Oui. Lylas l'a prévenu que Colin s'apprêtait à le frapper.

∞ Que lui voulait-il ? demanda Mex à l'Ilys de Gustave.

∞ Le tuer. C'était le cœur que Colin visait, mais c'est Jegg qui a impulsé le coup à son hôte, affirma Bem. Colin se trouvait sous son emprise.

Mex se rétracta violemment.

∞ Comment va Jegg ? s'alarma-t-il.

∞ Depuis, il n'a répondu à aucun de mes appels. Soit il lui est arrivé malheur, soit les Rogons le maintiennent prisonnier et brouillent ses vibrations. Quant à Elliot, il n'est que blessé.

Mex fut soulagé. Son frère, Mazz, était en vie. Puis le doute et les remords l'envahirent. Mazz était leur ennemi. Quitterait-il le camp rogon pour rallier celui des Almars ?

Helenn s'effondra en pleurs. Gustave la prit dans ses bras et la serra contre lui.
- Lylas l'a sauvé, ne t'inquiète pas pour lui.

Lylas avait protégé Elliot ? Tomas sentit le trouble l'envahir. Pourquoi Lylas l'avait-elle sauvé ? Quel lien les unissait ? Et si...

∞ Du calme Tomas, intervint Mex. Que Lylas ait prévenu Elliot ne prouve rien.

Mex avait raison, mais Tomas eut beau se raisonner, la pointe de jalousie s'enfonçait toujours plus profondément dans son cœur.

48

Ils dormirent peu entre leurs tours de garde, ressassant leurs angoisses sur le sort que leurs ennemis réserveraient à Colin. Tomas s'en voulait de ne pas avoir été capable de tenir sa promesse de veiller sur lui.

– Il faut vous ressaisir, les enjoignit Irvin. Et avant tout vous nourrir si vous voulez libérer Lylas, Elliot et Colin. Brochet grillé, ça vous va ?

Irvin exhibait avec fierté un énorme poisson tacheté. Un large sourire barrait son visage maculé de vase.

– Pour le petit-déjeuner ? s'étonna Gustave à voix basse.

Sans attendre de réponse, Irvin le déposa sur l'herbe et entreprit d'allumer un feu avec le bois qu'il avait rapporté.

– Ce n'est guère prudent, tiqua Tomas.

– Les Queues de cheval savent que nous sommes ici et qu'avant d'avoir eu le temps de nous approcher, nous aurons fui. Hector et ses hommes préfèrent attendre que nous retournions de nous-mêmes à la forteresse. Pour preuve, ils n'ont pas envoyé de patrouille pour tenter de rattraper Gustave.

D'un signe de tête, Tomas lui donna son accord.

Bientôt, les flammes crépitèrent. Et très vite, une alléchante odeur leur chatouilla les narines.

Quand Irvin estima la cuisson parfaite, il déposa le poisson sur un lit de feuilles et leva des filets qu'il tendit à ses compagnons.

– C'est délicieux, complimenta Helenn. Vous êtes un cuisinier hors pair, Irvin.

– Tout le secret est dans les herbes aromatiques dont je l'ai farci. Si je parviens à attraper un canard, annonça-t-il en indiquant un arc qu'il avait fabriqué plus tôt, je vous concocterai une recette dont vous me direz des nouvelles.

– J'ai hâte d'y goûter, déclara Gustave avec gourmandise.

Irvin s'inclina humblement jusqu'à terre, une main posée sur sa poitrine, ce qui déclencha un éclat de rire général.

L'espace d'un instant, la rage et la douleur laissèrent place à la joie.

Mais très vite, la réalité reprit le dessus.

– Nous devons trouver le moyen de pénétrer dans la forteresse, annonça Tomas. Nous allons observer les allées et venues pour connaître la fréquence des patrouilles et découvrir leurs points faibles. Il y en a forcément, insista-t-il. Gustave et Helenn, vous irez vous placer en face des tours de guet, à l'arrière de la forteresse. Je me positionnerai côté porte. Irvin, tu couvriras le reste.

Chacun prit la direction du secteur que Tomas venait de lui attribuer.

49

Quand Hector pénétra dans la cellule de Lylas, un rictus de satisfaction barrait son visage.

– Nous te remercions d'avoir sauvé Mazz et Elliot, tu es presque des nôtres désormais.

Les yeux de Lylas cherchèrent une échappatoire. Sans épondre, elle posa son regard sur le coin de ciel bleu visible par la fenêtre.

– Suis-moi, lança-t-il d'une voix ferme.

– Où ? tenta-t-elle.

– Suis-moi, répéta-t-il d'un ton plus sec.

Elle se leva et lui emboîta le pas. Ils gagnèrent l'esplanade située devant la porte d'entrée principale. Là, une vingtaine d'hommes étaient alignés en silence. Devant eux, entouré par quatre soldats, se tenait Colin à genoux, des chaînes entravant ses membres.

– Qu'allez-vous faire de lui ? s'inquiéta-t-elle.

Un sourire mauvais étirait les lèvres d'Hector.

– Nous allons discuter. Simplement discuter, annonça-t-il.

Il fit un léger signe de main et le fouet claqua sur le dos du prisonnier.

Lylas eut un mouvement de recul, écarquilla des yeux horrifiés.

– Ne t'inquiète pas, glissa Hector, il va parler.

– M'inquiéter ? s'étonna Lylas, pleine d'une rage contenue.

– Si tu es des nôtres, son sort doit t'indifférer. Dans le cas contraire, ta chevelure ornera une porte ou un couloir.

Un deuxième coup lacéra Colin aux épaules, lui tirant un gémissement rauque.

– Tu peux hurler autant que tu veux et ton Ilys s'épuiser à appeler ses congénères, l'avertit Hector. Ces hommes et leurs Rogons forment un rempart efficace à ses vociférations. Nous avons pour habitude de ne jamais laisser la moindre vibration sortir de cette forteresse. Pourquoi troubler un environnement si paisible ?

– Vous ne pouvez pas traiter cet homme ainsi, protesta Lylas.

– Serais-tu dans son camp ? Ceux de ton espèce se rangeraient-ils aux côtés des Almars ?

Elle s'apprêtait à lui répondre quand Colin redressa la tête et croisa son regard. Elle lut dans ses yeux toute sa détermination. Elle esquissa un geste. D'un lourd battement de paupières, Colin lui intima de ne pas bouger.

– Quels sont les plans de tes amis ? interrogea Hector.

Devant le mutisme de Colin, il fit un signe. Les coups reprirent.

À chaque claquement de fouet, Lylas sentait la nausée la gagner. Si elle réagissait ouvertement, ses espoirs de fuite s'envoleraient, et avec eux la possibilité de mettre en garde les membres de sa tribu. Elle ferma les yeux et tenta de s'extraire de ce lieu, mais les images qu'elle convoqua s'évaporèrent.

Tout au long du supplice du prisonnier, elle lutta pour contenir sa haine. Colin ne prononça pas un mot. Seuls ses râles répondaient aux claquements de la lanière de cuir.

– Tu as gagné ta place parmi nous, déclara finalement Hector, satisfait par l'attitude impassible de Lylas. Voici la clé de ta chambre. Tu es libre d'aller et venir à l'intérieur de la forteresse.

Il lui adressa un large sourire. Elle se détourna, dégoûtée, et se maîtrisa pour ne pas regagner sa cellule en courant.

Quand elle fut à l'intérieur, elle tourna la clé dans la serrure, plongea ses mains dans la cuvette d'eau et s'aspergea le visage.

« Je suis sale »

Du dehors lui parvenaient les râles de plus en plus faibles de Colin.

50

Tomas resta longtemps agenouillé derrière un bouquet de roseaux face à la porte principale de la forteresse. Rien de ce qui se passait à l'intérieur ne transparaissait. Parfois, le vent lui transmettait une clameur incompréhensible.

Il songeait à regagner leur abri quand il sentit le picotement d'un regard posé sur sa nuque. Il se raidit puis se retourna, évitant tout geste brusque. À une dizaine de mètres de lui se tenait un jeune garçon, entièrement couvert de boue. Il fut frappé par sa maigreur. Une excroissance déformait son visage.

Durant de longues secondes, ils se regardèrent en silence.

Enfin, Tomas leva lentement la main en signe d'apaisement.

– Je m'appelle Tomas, déclara-t-il d'une voix douce.

Le garçon ne broncha pas.

– Je m'appelle Tomas. Tu n'as rien à craindre, je ne te veux aucun mal. Comment t'appelles-tu ?

Le garçon articula difficilement deux syllabes :

– To... mas.

– Oui, je m'appelle Tomas, l'encouragea-t-il. Et toi ?

– To... mas, répéta-t-il.

Un grincement métallique retentit dans leur dos. L'enfant, paniqué, courut vers la digue et s'enfonça entre les herbes sèches. Tomas s'aplatit et se tourna vers la forteresse. Par la porte ouverte deux colonnes d'individus s'avançaient, visage baissé, encadrées par des hommes en armes. Des fouets claquaient au-dessus des têtes. Les colonnes se dirigeaient vers le côté ouest de l'enceinte. Là, elles se désagrégèrent et, telles des légions de fourmis, se mirent au travail. Certains transportaient de la terre glaise dans des paniers, d'autres la mélangeaient à des fibres de roseaux. D'autres encore plantaient des pieux dans le sol.

Tomas s'éloigna en rampant.

51

Lylas profita de sa liberté de mouvement pour aller voir Elliot à l'infirmerie. À deux reprises elle dut demander son chemin à des soldats qui lui répondirent du bout des lèvres, en esquissant un mouvement de recul.

L'infirmerie se trouvait au bout d'un long couloir. Elle frappa doucement à la porte et, sans attendre de réponse, entra.

Elliot était allongé sur un lit, l'abdomen ceint d'un large pansement. La lame s'était profondément enfoncée dans sa chair, mais par chance aucun organe vital n'avait été touché.

Ils s'observèrent en silence. Lylas pleine d'amertume depuis qu'elle avait vu deux gardiens traîner le corps sans vie de Colin ; Elliot ne sachant comment lui exprimer sa gratitude pour l'avoir sauvé.

Elle voulut saisir sa main, il la retira précipitamment. Comprenant que son Ilys guidait ses gestes, elle n'insista pas.

– Je ne suis donc qu'un appât ? interrogea-t-elle.

– Non, tu es aussi un mystère, répondit-il, le visage creusé par la douleur.

– Tu souffres ?

– Si je reste immobile la douleur est supportable. Mais impossible de tousser et de rire.

– Rire ne doit pas te manquer...

Elliot plissa les yeux.

– Que veux-tu insinuer ?

– On ne rit pas beaucoup ici. Hector rit, mais il est bien le seul.

– Ce qui le fait rire n'est jamais drôle, reprit-il. Il rit de ses exploits, il rit de ses succès, il rit de ses...

Sa bouche se ferma brusquement. Son Ilys le censurait une nouvelle fois.

– Ces deux hommes sont tes amis ? questionna Elliot.

– Je ne connais pas celui qui s'est échappé.

– Et l'autre ?

– Tu veux dire Colin ?

– C'était un homme courageux, commenta Elliot, il est mort sans avoir parlé.

Lylas ferma les yeux.

– Tu es triste ? insista-t-il.

– Une mort est toujours triste. Ce qui l'est plus encore, c'est que deux jeunes enfants grandiront sans père.

– On peut très bien grandir sans parents, réagit Elliot, le visage soudain fermé.

– Oui, certainement, laissa-t-elle échapper, évasive. Mais cela laisse à jamais une blessure au plus profond des êtres. Une blessure inguérissable.

Elle sentit le trouble s'emparer de lui.

– Pourquoi m'as-tu sauvé ?

– Je te l'ai expliqué. Une mort est toujours triste.

– Une prisonnière qui sauve son gardien, ce n'est pas courant.

– Est-ce ainsi que tu juges notre relation ? demanda-t-elle d'une voix volontairement froide.

Le visage d'Elliot s'empourpra.

– Je dis les choses telles qu'elles sont, précisa-t-il.

– Je connais ta mère, annonça-t-elle sans détour, en le fixant dans les yeux.

– Ma... mère ?

– Elle s'appelle Helenn, glissa-t-elle avec douceur.

Elliot se redressa en grimaçant de douleur.

– Elle m'a abandonné, déclara-t-il en haussant le ton. Elle n'est plus rien pour moi, tu m'entends ? Plus rien.

Il se laissa retomber sur le lit.

– Elle ne t'a pas abandonné, Elliot, elle te cherche depuis des années...

Il demeura impassible, comme hermétique à ses paroles.

Quand elle se leva, il se caressait les mains, avec la même douceur qu'elle avait mise, l'avant-veille, pour lui montrer ce qu'est l'amour d'une mère envers son fils.

52

Lylas contempla longuement son reflet dans le miroir. Combien de fois l'avait-elle regardé avant ce jour ? Deux, peut-être trois.

Elle se souvint de la première fois où elle avait fait face à son visage. C'était peu de temps après s'être enfuie de la nuit. Elle s'était penchée pour boire et soudain, elle l'avait distingué à la surface de l'eau.

« Moi »

Elle avait scruté chaque détail, penché sa tête à gauche puis à droite, remué ses lèvres, esquissé un sourire et froncé les sourcils. Elle avait détaillé son nez, ses joues, tiré la langue, passé une main dans ses cheveux blancs pour les faire bouger dans la lumière. Si elle devait se croiser désormais, elle se reconnaîtrait.

« Étrange comme pensée »

Par la suite, elle n'avait plus cherché à se voir. Elle n'en comprenait pas l'intérêt.

Aujourd'hui, la situation était différente.

Elle trouva ses joues plus creuses que dans ses souvenirs, les cernes sous ses yeux plus profonds. Elle vissa son regard dans celui de son reflet. Il avait la profondeur de la nuit. Elle ne cillait pas, demeurait immobile. Quand elle fut certaine que son image était solidement ancrée dans sa mémoire, elle ferma un instant les paupières, les rouvrit. Elle saisit la paire de ciseaux subtilisée à l'infirmerie, attrapa une longue mèche, hésita une seconde. Le chuintement des lames évoqua une plainte. Mèche par mèche, elle coupa l'ensemble de sa chevelure. Elle passa la main sur son crâne : de petits cheveux drus lui râpèrent la paume. Elle positionna plus près encore la lame des ciseaux afin de couper ses cheveux à la racine. Puis elle se planta de nouveau devant le miroir.

« Ce n'est plus moi »

Elle ferma un instant les yeux et fut rassurée de découvrir son vrai visage.

53

Le cœur de Lylas tambourinait dans sa poitrine. Son plan allait-il fonctionner ?

Elle se glissa dans le couloir. Là, elle guetta le moment favorable pour sortir. Elle entrouvrit la porte à l'instant où la colonne d'esclaves passait. D'un mouvement vif, elle prit place dans la file. Personne ne parut remarquer sa présence.

– Avancez plus vite ! hurlait un soldat derrière eux.

Lylas jeta un œil sur la femme à ses côtés. Elle crut apercevoir son propre reflet dans la glace, une fois ses cheveux coupés. Cela la rassura. Mais quand elle aperçut son ombre, une angoisse terrible la saisit.

« Je ne suis pas comme eux »

Son ombre rabougrie n'avait rien à voir avec celle, parfaitement dessinée et proportionnée, des hommes et des femmes qui l'entouraient.

Si un gardien s'en apercevait, elle regagnerait son cachot, le temps que sa chevelure blanche repousse pour former un digne trophée.

« Tout se joue ici »

Elle cala ses pas sur ceux de l'homme qui la précédait, veillant à le coller pour que son ombre masque la sienne.

Bientôt la colonne s'immobilisa face à la porte principale.

Un garde les regarda lentement, scrutant chacun de haut en bas. Que vérifiait-il ? Sa disparition avait-elle déjà été signalée ? Lorsqu'il parvint à sa hauteur, Lylas garda la tête baissée, cessa de respirer. Enfin, il détourna les yeux.

« Je suis comme eux »

La lourde porte tourna sur ses gonds. La colonne se remit en marche d'un pas mécanique. Quand elle franchit le porche, Lylas ressentit un violent pincement au cœur. Elle abandonnait la prisonnière dont elle avait partagé le désespoir et la rage, trahissant sa promesse frappée sur le sol. *Je ne vous abandonnerai jamais*.

Elle se sentit vaciller sous la colère. Celle d'avoir à choisir entre cette inconnue qui n'avait qu'elle et son peuple qu'elle devait sauver.

Un instant, elle envia ces hommes et ces femmes autour d'elle qui n'avaient pas à choisir. Aussitôt se ressaisit. À ses pieds, elle vit les premiers brins d'herbe, puis un buisson et un bouquet de roseaux dont les feuilles dansaient dans la brise.

« Enfin »

Elle eut envie de les toucher, mais s'abstint. Elle saisit le panier qu'on lui tendait, prit la direction qu'on lui indiquait. Elle calqua ses gestes sur ceux de son groupe. Aux alentours, les gardiens avaient pris position pour les surveiller.

Elle remplit des paniers de glaise, les transporta pour les confier à d'autres. À son huitième passage, elle remarqua un trou dans une digue, suffisamment large pour qu'elle s'y cache en attendant le retour des prisonniers à la forteresse.

Elle jeta un coup d'œil furtif autour d'elle. Personne ne la regardait. Elle se laissa alors doucement glisser dans le trou. Plus qu'un trou, il s'agissait d'une galerie.

Le courant d'air qui circulait dans le conduit était comme un souffle tiède, presque humain.

Elle rampa, s'enfonça plus avant dans la nuit.

« Je suis une Noctamm »

Ses réflexes un à un revinrent. Quand un embranchement se présentait, elle n'hésitait pas sur la voie à emprunter. Autour d'elle, lointaines, des présences silencieuses, tapies dans des coins reculés. Mais seule sa fuite guidait ses pensées.

54

Quand Tomas rentra au campement, Gustave, Helenn et Irvin étaient déjà là. Le jeune guide s'affairait à préparer le repas.

– Brochet grillé, annonça-t-il.

– Encore? protesta Gustave.

Devant la grimace d'Irvin, il précisa :

– Je plaisantais, j'ai adoré votre plat, c'était succulent.

Tomas s'approcha.

– Alors? fit-il.

Gustave soupira et laissa Helenn répondre.

– Des patrouilles surveillent la route de Galbar quand d'autres effectuent des rondes le long de la palissade. Comment approcher? Elles nous repéreraient aussitôt, conclut-elle avec découragement.

– La porte d'accès est aussi parfaitement gardée. Mais peut-être pourrions-nous nous infiltrer parmi ces groupes d'hommes et de femmes que les Rogons font travailler chaque jour sur le chantier d'extension de la forteresse, proposa Tomas.

– L'idée me semble intéressante, commenta Irvin. Impossible de franchir ces palissades, elles sont trop hautes et les tours de guet trop nombreuses. Quant à passer au-dessous, cela nous obligerait à creuser une galerie. Il nous faudrait l'aide du peuple des marais, mais on ne peut pas dire que le contact soit facile à établir avec eux.

– J'en ai vu un second tout à l'heure, intervint Tomas, et j'ai pu lui parler.

– Tu as de la chance, commenta Irvin. Moi je n'en ai croisé que deux depuis que je viens ici, et jamais nous n'avons échangé un seul mot.

– Nous, nous n'en avons aperçu aucun, confia Gustave. J'adorerais en rencontrer un. Ce n'est pas tous les jours qu'on est confronté à l'existence d'un monde parallèle. À des êtres vivant tapis dans l'ombre à notre insu.

– Tu es vraiment surprenant, commenta Helenn dans un franc sourire.

Le visage de Gustave s'illumina un instant puis il se redressa et s'exclama d'une voix émue :

– Là-bas, un habitant des marais !

Tomas l'agrippa par la manche et le força à se rasseoir.

– Ne criez pas, vous allez l'effrayer, lui intima-t-il.

L'individu, à une centaine de mètres, progressait dans leur direction. Son corps recouvert de vase se fondait dans le paysage.

Bientôt ils purent distinguer son visage fin, parfaitement proportionné.

– Ses parents devaient être sacrément bigleux pour l'abandonner dans les marais, commenta Gustave après avoir remarqué la beauté de ses lignes.

– Il s'agit d'une fille, précisa Irvin.

Quand elle fut à quelques dizaines de mètres, elle appela.

– Tomas?

– Mais ils connaissent tous votre nom? questionna Gustave. Vous avez un fan-club dans les marais?

Tomas, chancelant, la respiration coupée, fit un pas dans sa direction.

– Lylas, parvint-il à murmurer.

– Lylas? s'étonna Gustave.

– C'est elle, confirma Helenn.

Sous le regard incrédule de ses compagnons, il s'élança vers elle.

55

Tomas la serra contre lui. Qu'il était doux de sentir les battements de son cœur sur sa poitrine.

– Lylas, répétait-il sans fin, chahuté par les sentiments qui déferlaient en lui dans un bouillonnement puissant.

Du plus profond de son être surgissaient des étincelles de bonheur qui enflammaient tout sur leur passage.

Mex s'abstint du moindre commentaire même si la puissance des sentiments humains le médusait, préférant concentrer son attention sur la surveillance des alentours.

– Lylas, murmura Tomas en plongeant son regard dans le sien, que t'ont-ils fait?

– C'est moi qui ai coupé mes cheveux pour me dissimuler parmi les esclaves des Rogons et m'enfuir de la forteresse.

Il passa son bras autour de ses épaules, l'entraîna vers ses compagnons, lui présenta Irvin et Gustave. Lylas s'approcha d'Helenn, émue.

– Il va bien, annonça-t-elle sans ambages.

– Oh merci, lâcha Helenn, soulagée.

– Et Colin? s'enquit Tomas, le front plissé par l'inquiétude.

Le visage de Lylas s'assombrit.

– Il est mort sous les coups de ses bourreaux.

Un lourd silence s'abattit sur le campement.

– Il n'a pas parlé, compléta-t-elle.

Tomas eut aussitôt une pensée pour Nahele et Thelma qui, tout comme lui, grandiraient sans père. Il serra un peu plus fort la main de Lylas, comme s'il avait peur qu'elle s'échappe.

– Pourquoi? questionna la jeune fille en s'écartant de Tomas, de l'indignation dans la voix. Pourquoi a-t-il tenté de tuer Elliot?

Tomas ressentit un violent pincement au cœur et emmena Lylas à l'écart.

– Colin n'y est pour rien. C'est son Ilys qui a impulsé son geste. Une initiative personnelle ou une mission confiée à notre insu. Par Blich probablement, le Haut Conseiller. Elliot compte-t-il tant pour toi?

Lylas se raidit, fronça les sourcils et planta son regard dans celui de Tomas.

– Il y a déjà eu assez de morts et de souffrances, tu ne trouves pas? Je t'aime, Tomas, mais je vais devoir partir.

Le cœur de Tomas s'emballa.

– Tu dis que tu m'aimes et tu veux partir ?

– Mon peuple est en danger.

Elle lui raconta le scalp cloué au mur, ainsi que les superstitions ayant cours sur elle et les siens.

– Nous sommes différents, juste différents. Et cela leur suffit pour nous exterminer, conclut-elle, amère.

Il l'attira contre lui.

– Je t'aime, je t'accompagnerai, lui assura-t-il.

– Tu ne sais même pas d'où je viens, ni qui je suis vraiment.

– Je veux tout apprendre de toi. Ce que je sais, c'est que je ne peux pas vivre sans toi. Aide-moi à faire sortir Elliot de cette forteresse. Ensuite nous partirons ensemble.

– Mais...

– Sans toi, nous n'y parviendrons jamais, confia-t-il.

Elle se tourna vers lui, esquissa un sourire puis approcha sa bouche de la sienne et l'embrassa.

Le monde autour d'eux disparut.

56

Cet instant de félicité laissait Mex dubitatif. En quoi ce contact physique pouvait-il éveiller des sensations si fortes chez son hôte ? Comme il trouvait que le baiser s'éternisait, il appela l'Ilys de Gustave à la rescousse.

∞ Bem, au secours, tire-moi de là s'il te plaît.

– Le repas est prêt, lança aussitôt Gustave d'une voix pleine d'entrain.

∞ Merci mon vieux, vibra Mex, je te revaudrai ça.

– Tu ne m'as pas répondu, relança Tomas. Acceptes-tu de nous aider à tirer Elliot des griffes des Rogons ?

Lylas réfléchit un instant. N'était-ce pas là l'occasion de libérer aussi cette femme dans le cachot et de tenir sa promesse ?

– J'accepte, dit-elle.

Tomas et Lylas rejoignirent les autres qui les attendaient avec impatience, une foule de questions aux lèvres.

– Attends-moi, Tomas, je reviens tout de suite.

Il la regarda s'éloigner. Elle pénétra dans l'eau du marais pour laver la boue qui couvrait son corps.

Irvin qui s'était approché de Tomas lui glissa :

– Je comprends ton empressement à la retrouver. Elle est magnifique.

Tomas se tourna vers lui, prêt à répliquer, mais le sourire angélique de son guide le désarma.

– Brochet grillé aux herbes sauvages, annonça-t-il en désignant le feu. Encore, ajouta-t-il en fixant Gustave avec un sourire moqueur.

– Parlez-moi d'Elliot, lança Helenn alors que Lylas s'asseyait tout près.

La jeune fille lui sourit avec tendresse.

– Il a vos yeux sombres, teintés de la même douceur. Il est à la fois bon et fort.

Tomas sentit ses mâchoires se crisper.

– Il n'égalera cependant jamais Tomas, ajouta-t-elle avec un sourire narquois.

Tous éclatèrent de rire.

– Vous lui avez parlé de moi ? s'enquit Helenn.

– Oui, et mes paroles l'ont troublé. Je suis certaine que vous lui manquez.

Helenn détourna les yeux pour cacher ses larmes.

– Et comment avez-vous fait pour sortir de cette prison ? questionna Gustave, la bouche pleine.

Du plat de la main, Lylas caressa le dessus de son crâne.

– Je me suis rasé la tête pour ressembler aux esclaves qui travaillent autour de la forteresse et me suis insinuée parmi eux. Une fois à l'extérieur, j'ai réussi à me glisser dans un trou.

– Personne ne s'en est rendu compte? questionna Irvin.

– Non.

– Elle est vide, expliqua Tomas en indiquant l'ombre de Lylas.

– Qui est vide? s'étonna Gustave.

– Certainement pas ton ventre, réagit aussitôt Helenn pour faire diversion.

Tous rirent de nouveau.

– Ensuite, j'ai emprunté une galerie qui m'a menée près d'ici.

Cette annonce engendrait un nouvel espoir.

– Lylas et moi irons explorer ces galeries afin de vérifier si l'une d'elles mène sous la forteresse, s'enthousiasma Tomas, et dès que possible nous y entrerons. Lylas connaît les lieux.

∞ Tomas, vibra Mex, vous emmènerez Gustave avec vous. Je dois échanger avec son Ilys.

57

∞ La difficulté consiste désormais à faire sortir Mazz, lança Mex à son compagnon.

∞ En effet, Mazz donnera aussitôt l'alerte aux Rogons, convint Bem. Mais pas de panique. Si tu parviens à émettre des vibrations strictement inverses aux siennes, elles s'annuleront.

∞ Facile à dire, réagit Mex. Et cela ne résout pas le problème de l'entrée ni de la sortie de la forteresse.

∞ Laisse nos hôtes s'occuper de ce point-là. Tu n'as fait aucun progrès côté patience, commenta Bem. Voici l'occasion de nous entraîner, ils partent en repérage.

Et tandis que Lylas guidait Tomas et Gustave vers la galerie empruntée la veille, Bem reprit ses explications.

∞ Pendant le trajet jusqu'à la forteresse, tu te plongeras dans un état proche de la dormance, de manière à passer inaperçu auprès des Rogons.

∞ Et après ? s'impatienta Mex.

∞ La technique que je vais t'enseigner est particulièrement délicate. Elle exige une concentration maximale, une capacité d'écoute exceptionnelle et des réflexes aiguisés.

∞ Tu cherches à me décourager ? protesta Mex, la surface de sa structure assombrie.

∞ Je te présente la situation. Cette pratique est extrêmement exigeante, à la portée de rares Ilys, mais tu es un champion de la *vib*. Je ne doute pas que tu l'apprennes vite.

∞ La *vib* ? s'étonna Mex.

∞ La vibration si tu préfères.

∞ Tu te moques de moi ?

∞ Pas du tout ! Le principe est simple. Si tu veux que tes ondes annulent les miennes, tu dois vibrer de manière strictement opposée à moi et dans un synchronisme parfait. Si tu as un quart de seconde de retard sur moi, nos vibrations ne s'annuleront pas, mais se superposeront. Si je pousse la phrase suivante, *je mangerais bien de la paella à midi*, tu dois vibrer simultanément, ɟǝ ɯɐnƃǝɹɐıs qıǝu qǝ ןɐ bɐǝןןɐ ɐ ɯıqı˙

Mex se dilata de surprise.

∞ C'est compris ?

∞ Ɔ,ǝsʇ ɔoɯbɹıs ¿

∞ Pas mal, commenta Bem. Reste à vibrer simultanément. Je vais souffler des instructions à Gustave. Si tu parviens à annuler mes vibrations, il ne se passera rien, si tu échoues… Tu es prêt ?

Mex lissa sa structure, se concentra.

∞ Je suis prêt.

∞ Fais une pirouette et plonge ta main dans l'eau, suggéra Bem à son hôte.

∞ Fais une pirouette et plonge ta main dans l'eau.
Aussitôt Gustave courut se jeter à l'eau.

∞ Tu as réussi à annuler la pirouette, Mex, mais tu as pris un léger retard sur la suite et les vibrations sont passées.

– Ça va, Gustave ? s'inquiéta Lylas.

– Euh... oui, bredouilla-t-il, tout étonné. J'ai ressenti comme une pulsion qui m'enjoignait de me baigner.

– Voilà l'entrée de la galerie, annonça Lylas.

∞ Gustave, saute la tête la première dans le trou, vibra Bem.

∞ Gustave, saute la tête la première dans le trou, vibra simultanément Mex.

Gustave s'immobilisa, interdit.

– Eh bien je crois que je vais vous attendre ici, dit-il.

∞ Bravo Mex, tu as compris. Tu es vraiment un as de la *vib*.

58

La galerie était sombre, humide et si étroite qu'il leur était impossible de faire demi-tour. La terre détrempée collait à leurs mains, les obligeant à griffer le sol pour avancer. Ils rampèrent ainsi sur une quinzaine de mètres, Lylas en tête.

Enfin ils parvinrent dans un boyau plus vaste où ils purent se tenir accroupis, l'un à côté de l'autre.

Lylas s'arrêta, goûta la terre puis reprit sa progression.

– Alors ? l'interrogea Tomas.

– Suis-moi, dit-elle simplement.

Ils parvinrent à un embranchement. Lylas hésita, s'assit.

– Le mieux est d'attendre ici qu'ils viennent à notre rencontre.

Une faible lueur émanant d'une issue voisine donnait au lieu une dimension mystérieuse.

— Nous sommes ici pour trouver un passage vers la forteresse, pas pour établir le contact avec le peuple des marais, répliqua Tomas.

— Nous traversons leur territoire. Il est normal que nous prenions contact avec eux, expliqua-t-elle. Crois-tu pouvoir emprunter leur réseau de galeries sans leur accord ?

— Tu l'as bien fait, toi, lors de ta fuite, protesta Tomas.

— Oui, mais j'ignorais leur existence. Maintenant, c'est différent, conclut-elle.

Une multitude d'interrogations assaillait Tomas. Lylas posa une main sur sa cuisse. Instantanément, il se sentit serein.

C'est alors qu'il perçut, en amont, un frottement. Il tourna son regard vers Lylas, mais elle avait les yeux fermés. Pour toute réponse, elle pressa un peu plus sa cuisse. Tomas tendit l'oreille. On rampait dans leur direction.

Une jeune fille apparut face à eux. La vase qui couvrait son visage ne permettait pas de distinguer ses traits. Elle les fixa de ses petits yeux ronds. Ses bras étaient dépourvus de mains, sa longue chevelure était enveloppée d'une gangue de boue.

Quand Lylas tendit sa main, paume ouverte, la jeune fille eut un mouvement de recul.

À cet instant, un frôlement dans leur dos les alerta. Tomas se retourna avec précaution et aperçut un garçon dont le bras droit atrophié était attaché par une corde à son abdomen. Lui aussi avait le visage couvert de vase.

Derrière eux, le garçon avançait, tandis que la fille les précédait. Ils se retrouvèrent ainsi encadrés, obligés de les suivre. Ils empruntèrent d'étroits conduits, certains dans lesquels ils durent ramper, d'autres où il fut possible de marcher à quatre pattes. Les galeries formaient un labyrinthe complexe. Malgré l'obscurité, Tomas tenta de mémoriser leur itinéraire, sans succès.

Ils parvinrent enfin dans une vaste salle qu'une torche enflammée éclairait d'une lumière vacillante. La jeune fille s'écarta et ils se retrouvèrent face au jeune garçon que Tomas avait croisé la veille.

– To… mas, dit-il en levant la main.

– Bonjour, répondit Tomas. Je suis heureux de te revoir.

– To… mas, répéta le garçon.

Lylas tendit la main. Le garçon prit peur et recula, se tourna vers Tomas qui hocha doucement la tête pour apaiser ses craintes et tendit la sienne, imitant Lylas. Cette fois-ci, le jeune garçon plaqua sa main contre celle de Tomas.

– To… mas, répéta-t-il.

Elle était rêche de terre. Tomas la guida lentement vers celle de Lylas.

Pour mieux capter ses influx, Lylas ferma les yeux et demeura ainsi de longues minutes. En dépit de la curiosité qui bouillonnait en lui, Tomas ne bougea pas. Enfin, elle les rouvrit avant de lâcher dans un souffle :

– Je sens chez lui une immense solitude et un profond désir de paix. Je perçois aussi une vertigineuse négation de lui-même.

Le garçon fit signe aux deux autres d'approcher. Ils communiquaient par de simples gestes.

– To... mas, répéta-t-il en tendant un morceau de racine.

– Merci, répondit Lylas en acceptant le présent.

Elle se tourna vers Tomas.

– À nous de leur offrir un cadeau en retour.

– Quoi ? lança-t-il.

– Je ne sais pas, tu as bien quelque chose sur toi.

Tomas tira de sa poche la branche de romarin qu'il avait cueillie quelques semaines plus tôt dans la maison de Lylas, puis il la tendit au garçon qui la saisit, une esquisse de sourire sur le visage.

– To... mas, prononça-t-il une dernière fois en les invitant à le suivre.

Il les guida jusqu'à une anfractuosité.

Dans un nid d'herbes sèches et de plumes, un très jeune enfant dormait. Avec quelques gestes, leur guide expliqua qu'ils l'avaient recueilli et que, depuis, il était malade. Lylas se pencha sur lui et l'examina.

– Il a de la fièvre et son ventre est douloureux. Si au moins j'avais mes échantillons de terre.

Tomas souleva sa chemise et montra la sacoche qu'il portait en bandoulière depuis le début du voyage.

– Je te les ai apportés, annonça-t-il fièrement.

Dans un sourire, Lylas attrapa les petits sacs en tissu et, au creux de sa main, mélangea les terres.

Elle fabriqua des billes homogènes, de couleurs différentes, puis les aligna sur le sol à côté de l'enfant. Deux noires, une ocre, deux noires, une beige.

Elle prit la première et la glissa dans la bouche du petit malade qui ouvrit les yeux. Son regard était absent, ses mouvements mal coordonnés.

– Voilà pourquoi il est là, murmura Tomas, la gorge nouée.

À grand renfort de gestes, Lylas expliqua que ces billes allaient le soigner, puis elle caressa longuement le ventre de l'enfant qui ne tarda pas à se rendormir.

Leur guide les ramena dans la salle où brûlait la torche. L'instant d'après, Tomas et Lylas étaient seuls. Les habitants du marais avaient disparu.

– Que penses-tu d'eux?

– Les rencontrer était une expérience exaltante, s'enthousiasma-t-elle. Comme moi, ils vivent dans le noir ou quasiment, et n'ont pas d'Ilys dans leur ombre.

Tomas sourit intérieurement. C'était cette étonnante et perpétuelle fraîcheur qui l'avait séduit lors de leur première rencontre.

– Et l'enfant, qu'avait-il? s'inquiéta-t-il.

– Une forte fièvre, répondit Lylas d'un ton grave.

– Il survivra?

– À la fièvre sans doute, mais...

– Mais? relança Tomas.

– Son cœur est faible, son cerveau fonctionne mal. Mes remèdes ne le soulageront qu'un temps.

– On ne peut pas les laisser là, se révolta Tomas.

– Nos remèdes ne les guériront pas. Quand j'ai touché les mains du garçon difforme, il portait en lui la détresse des enfants livrés à eux-mêmes. Mais j'ai perçu aussi son bonheur d'être à l'écart du monde et à l'abri du jugement des autres. Ces enfants forment une famille unie et jamais ils ne voudront quitter cet endroit. Leur avenir est ici. Les emmener ailleurs leur causerait une souffrance plus grande que celle engendrée par leur existence précaire. La vie qu'ils se sont créée est extraordinaire. Il faut les laisser.

Les paroles de Lylas apaisèrent Tomas.

– Tu crois qu'ils sont nombreux ? demanda-t-il.

– Certainement, pour avoir creusé ce réseau de galeries, observa Lylas.

– Allons chercher un passage vers la forteresse, l'invita-t-il.

59

Tomas suivait Lylas à tâtons. Les galeries succédaient aux galeries, parfois éclairées par un rai de lumière provenant d'un conduit ouvert sur le dehors. À plusieurs reprises, il fut tenté d'en emprunter un pour se situer mais il n'en fit rien, s'en remettant au sens de l'orientation de Lylas.

– Nous approchons de la forteresse, annonça-t-elle dans un murmure.

Lylas avait en tête la disposition des locaux. Ils se tenaient à présent sous la cour. Elle s'arrêta, goûta la terre sur ses doigts. Une foule d'images envahit son esprit. La terre avait l'âpreté des pas lourds des hommes en armes, le goût infect des exécutions, des discours haineux et du désespoir des prisonniers.

Elle cracha et reprit sa progression. Devant elle, le conduit formait un angle droit. Elle inspecta la paroi.

« De la roche »

Elle repensa à la femme qui croupissait dans sa cellule. Elle se trouvait toute proche, au cœur de cette masse rocheuse. Lylas frappa quelques coups, attendit une réponse qui ne vint pas. Comment accéder à elle pour la libérer ?

Lylas emprunta le passage qui s'ouvrait sur sa gauche. Il longeait la roche, les éloignant de la cour et de l'infirmerie où Elliot passait sa convalescence. Ils se trouvaient maintenant sous l'édifice abritant le bureau d'Hector. Elle revit la chevelure blanche accrochée au mur. Une rage sourde l'envahit.

« Je suis une Noctamm »

Tomas la sentit hésiter.

– Que se passe-t-il ?

– Nous butons contre la roche, expliqua-t-elle. Impossible d'atteindre le centre de la forteresse.

– Tu en es certaine ? insista Tomas.

Lylas se remit en marche sans répondre. Le conduit passa sous l'enceinte, mais un peu plus loin il obliqua sur la droite et les ramena vers l'intérieur. Au-dessus de leurs têtes se situaient les salles dédiées à l'entraînement. Ils débouchèrent sur un embranchement. Lylas huma l'air. À gauche l'odeur du marais ; à droite, celle de la roche, froide et suintante.

– Par ici, indiqua-t-elle avec assurance. Nous sommes sous les chambrées.

– Elles doivent être bourrées de soldats.

– Oui, confirma-t-elle. L'infirmerie où se rétablit Elliot est un peu plus loin, mais nous ne pourrons pas l'atteindre par le sous-sol.

– Alors nous passerons par ici, décida Tomas. Filons maintenant.

Ils regagnèrent l'air libre sans rencontrer les habitants des marais.

Quand il les vit apparaître, Gustave se leva d'un bond.

– Où étiez-vous ? Je m'inquiétais. Je vous attends depuis des heures !

– Nous étions dans un monde parallèle, peuplé d'êtres délicieux, commenta Lylas.

– C'est vrai, ils existent ? s'enquit Gustave.

– Oui, répondit-elle simplement.

– Rentrons, lança Gustave. Les autres doivent s'inquiéter.

Irvin et Helenn furent captivés par le récit de Lylas.

– Nous avons trouvé un passage jusqu'à la forteresse, annonça Tomas. Mais la galerie débouche sous les chambrées des soldats. Il faudrait créer une diversion pour leur faire quitter les lieux et nous permettre d'y pénétrer discrètement.

– J'ai une idée, proposa Irvin.

Il gagna l'abri et revint avec son carquois et deux arcs.

– J'en ai fabriqué un second. Pendant que vous passerez sous les palissades, nous, nous les franchirons par le dessus, expliqua-t-il.

– Cela suffira-t-il ? douta Tomas.

– Nous enflammerons les pointes de nos flèches, le rassura Irvin avec un petit sourire.

– Toutes les constructions sont en bois, confirma Lylas.

257

– Parfait, commenta Tomas. Tu penses pouvoir rapidement fabriquer un autre arc et enseigner à Gustave et Helenn son maniement?

D'un signe de tête, Irvin acquiesça.

– Ils apprendront vite, avec l'aide de leur Il... euh... de leur professeur, corrigea-t-il. Et la fabrication d'un troisième arc ne me demandera pas beaucoup de temps.

– Parfait, conclut Tomas.

– Nous allons faire un essai, déclara Irvin en tendant ses arcs à Gustave et Helenn.

Il se positionna derrière eux tour à tour. Pour faciliter la prise en main, il leur fit tendre le cordage à vide.

Quand il les estima prêts, il leur donna à chacun une flèche.

∞ Gustave et Helenn avec un arc et une flèche. Il ne manque plus que l'apparition de Cupidon, s'amusa Bem.

∞ Laisse les amoureux tranquilles et concentre-toi sur la cible, le reprit l'Ilys d'Irvin.

La flèche de Gustave s'envola et se ficha en plein centre de la cible.

– Yes, hurla Gustave en levant un poing victorieux.

– La beauté et la pureté du geste ne sont pas encore au rendez-vous, tempéra Irvin, mais pour l'efficacité, je ne trouve rien à redire.

∞ La beauté du geste, grogna Bem. Il ne veut pas non plus que mon hôte décoche ses flèches en dansant le *Lac des cygnes*?

Après une dizaine de salves, Tomas leur conseilla de se mettre à l'abri de la lumière pour profiter de quelques heures de sommeil réparateur.

– Demain s'annonce rude.

Helenn s'approcha de Lylas.

– Elliot sera sans doute difficile à convaincre.

Elle porta ses mains à sa nuque et défit une chaîne.

– Donnez-lui ceci, reprit-elle, peut-être s'en souviendra-t-il.

Lylas posa son regard sur la médaille, sourit à Helenn puis accrocha la chaîne à son cou.

Durant le bref repos qui précéda leur intrusion dans la forteresse, Tomas se lova contre Lylas, cala sa respiration sur la sienne. Comment avait-il pu vivre séparé d'elle? À cet instant, ils ne faisaient plus qu'un.

60

Lylas ouvrait la voie sans la moindre hésitation, Tomas à sa suite.

Les galeries étaient désertes, à aucun moment de leur progression les habitants des marais ne s'étaient manifestés.

– Nous allons pénétrer sous la forteresse, prévint Lylas.

– Mex, il serait peut-être temps que tu te mettes en veille, conseilla Tomas.

Mex se détacha de tout ce qui l'entourait, se laissant gagner par le vide. Mais sous l'effet de la tension, sa structure frémit.

∞ Arrête-toi, commanda-t-il à Tomas.

– Que se passe-t-il ?

∞ Je n'arrive pas à me retirer du monde. On va nous repérer très vite.

– Lylas, appela Tomas, faisons une pause.

– Il reste peu de temps avant que Gustave, Helenn et Irvin déclenchent l'opération de diversion.

– Je sais, mais Mex n'est pas prêt, il lui faut un moment de calme.

– J'y vais seule, annonça Lylas.

– Non, ce serait trop dangereux. Nous avons besoin de Mex pour neutraliser les appels à l'aide que lancera Mazz.

∞ Si vous ne vous calmez pas, je n'y arriverai jamais, protesta Mex.

– D'accord, on se calme, tempéra Tomas. Lylas, s'il te plaît, raconte-nous la quiétude de la nuit.

– La nuit, commença-t-elle sur un ton empreint de douceur, le temps paraît suspendu. L'espace, noyé dans l'obscurité, semble infini. La nature est endormie, le vent caresse les plaines désertes, l'air est léger et frais.

Tomas laissa son esprit vagabonder au loin. Son corps se décontracta et le poids qui comprimait ses poumons, son estomac et sa gorge s'allégea.

Mex se sentit à son tour moins oppressé et glissa doucement dans la béance de l'inconscience.

– C'est bon, on peut y aller, prévint Tomas.

Ils se remirent en route, contournèrent le socle rocheux jusqu'au point situé sous les chambrées des soldats.

Lylas se figea en percevant les secousses d'un brusque affolement.

– Irvin, Helenn et Gustave ont lancé la diversion, murmura-t-elle. Les hommes quittent leur baraquement. C'est le moment !

Tomas attrapa son couteau et, aidé de Lylas, commença à creuser la voûte. La terre s'effritait facilement. De leurs pieds, ils l'évacuaient sur le côté. En quelques minutes, ils avaient assez creusé pour se tenir debout. Quand une masse de gravats s'effondra sur eux, ils eurent juste le temps de se protéger de leurs bras.

– Ça va ? s'inquiéta-t-il.

– Oui, murmura-t-elle.

– Nous y sommes, annonça Tomas en distinguant la lueur qui filtrait entre les lames du plancher.

Il donna un violent coup de poing dans une latte qui se brisa, projetant dans le puits une soudaine lumière. Il retint son souffle, écouta.

– Il n'y a plus personne.

Il se hissa à l'extérieur, écouta encore, et quand il fut certain que l'endroit était désert, il se pencha puis tendit la main pour aider Lylas à le rejoindre.

– Par là, indiqua-t-elle en désignant le couloir.

Ils le parcoururent sur la pointe des pieds. Tomas constata avec angoisse que leurs pas laissaient des traces boueuses sur le sol. Si quelqu'un entrait dans le bâtiment, il les repérerait immédiatement.

– C'est ici, annonça enfin Lylas face à une porte.

– Mex, à toi de jouer, prévint Tomas.

Son Ilys sortit de son état de léthargie et vibra à destination de Mazz, son frère.

61

Quand il perçut les vibrations de l'intrus, Mazz
marqua sa surprise.

∞ Qui es-tu ? interrogea-t-il, méfiant.

∞ Je m'appelle Mex. Je suis comme toi le fruit de
la division de Wiggs.

Mazz se rétracta violemment et sa structure vira
instantanément au gris sombre.

∞ À la garde ! vibra-t-il avec une extrême intensité.

∞ Ɐ ן⅁ ᵷɐɹqǝ¡ vibra simultanément Mex avec la
même force.

Mazz poursuivit :

∞ Un Almar s'est introduit dans la place !

∞ ∩u Ɐןɯɐɹ s'ǝsʇ ıuʇɹoqnıʇ qɐus ן⅁ bןɐɔǝ¡

Mais aucune vibration ne sortit de la pièce.
La technique enseignée par Bem fonctionnait à
merveille.

– Elliot, réveille-toi, c'est Lylas.

265

Il ouvrit les yeux et quand il la vit, le crâne rasé et le visage couvert de boue, il se redressa brusquement, une grimace de surprise sur le visage.

– Que se passe-t-il ?

– Je suis venue te chercher pour te conduire à ta mère. Elle t'attend.

Elliot découvrit Tomas.

– Ne t'inquiète pas, il est avec moi. Nous ne te voulons aucun mal, juste te ramener à ta mère.

Lylas détacha de son cou la chaîne confiée par Helenn et la tendit à Elliot.

Elle vit le trouble sur son visage quand il découvrit son prénom gravé sur la médaille et poursuivit :

– Hector t'a enlevé à ta mère quand tu n'étais qu'un enfant. Depuis, elle te cherche.

Elle saisit sa main, lui prodigua une caresse avec la même douceur qu'elle avait employée quelques jours plus tôt.

Elliot désigna son ombre puis posa un regard interrogateur sur Lylas.

– L'Ilys de Tomas s'en occupe, le rassura-t-elle. Il l'a réduit au silence, mais il ne tiendra pas longtemps. Il faut partir Elliot.

Son ton était plus ferme. Elliot hésita.

– Ta place n'est pas auprès d'Hector. Tu le sais. Tu es différent, tu vaux tellement mieux. Et puis Helenn t'attend. Elle t'aime.

Lylas lui sourit.

– Il faut y aller, les pressa Tomas.

Elliot interrogea Lylas des yeux.

– Oui, en venant tu fais le bon choix.

Il regarda autour de lui et se redressa. Lylas et Tomas le saisirent chacun par un bras pour l'aider à se lever.

– Vite, commanda Tomas.

Mazz commençait à saisir la manière dont Mex parvenait à neutraliser ses alertes.

∞ Tu veux jouer au plus malin ? menaça-t-il.

Mazz vociféra alors à un débit incroyable. L'attention de Mex était entièrement tournée vers lui, captant chaque intention, préparant ses vibrations avec précision. Rythme, amplitude, fréquence. Il contrait chaque vibration de Mazz en veillant à ce que le synchronisme fût parfait. Au moindre écart, l'alerte serait donnée. Mais l'exercice était éreintant, obligeant Mex à utiliser toujours plus d'énergie. Sa structure vacillait. Mazz s'en aperçut et intensifia ses appels.

∞ Alerte ! Lylas enlève Elliot ! Ils veulent aller dans ces souterrains sous la forteresse.

∞ Alerte ! ~en ~souterrains sous la forteresse. répliqua partiellement Mex pour se permettre de souffler.

Il s'amusa aussi d'imaginer la réaction des Rogons quand ils capteraient : *Lylas lève Elliot. Ils veulent aller danser.*

Mazz profita de cet instant de déconcentration pour le surprendre.

∞ À l'aide ! Vite !

∞ ~Vite ! n'eut que le temps de répliquer Mex.

Alors que Tomas et Lylas soutenant Elliot longeaient le couloir qui les menait à l'entrée de la galerie, des cris et des ordres mêlés leur parvinrent de la cour. Les hommes d'Hector tentaient d'éteindre un début d'incendie près de la porte principale.

– Nous y sommes presque, l'encouragea Lylas.

À cet instant, la porte du bâtiment s'ouvrit violemment et deux soldats se précipitèrent vers eux.

Tomas poussa Elliot et Lylas en avant.

– Filez, je m'en occupe, ordonna-t-il. Mex, tu es prêt ?

∞ Oui.

Tomas se mit en garde. Déjà le premier assaillant se ruait sur lui et sortait son couteau. Ils se jaugèrent et, dans un cri de rage, l'homme fonça sur lui.

Mex lui inspira un crochet de la main gauche. L'impact fendit l'arcade sourcilière de l'attaquant, libérant un filet de sang. L'homme se jeta sur Tomas, le plaqua contre le mur, arma son bras pour mieux le déchirer de sa lame. Guidé par Mex, Tomas lança son genou dans le bas-ventre de son assaillant. Le choc fut si rude que l'homme se plia en deux. Le second surgit alors et, d'un coup de pied, fit voler le couteau de Tomas. Il voulut le rattraper, mais l'homme le repoussa violemment et se précipita sur lui de tout son poids. D'une main, il enserra le cou de Tomas qui sentit sa vue se brouiller. Une multitude de points brillants dansèrent devant ses yeux.

Mex dirigea la main de Tomas vers son couteau, lui fit lever le bras puis l'abattit. La lame pénétra entre les omoplates de l'homme. Aussitôt l'emprise se desserra. Les poumons de Tomas s'emplirent d'air.

Il replia ses jambes, repoussa son agresseur et se redressa. À cet instant, il vit surgir un groupe de huit à dix hommes. Il se précipita dans la chambrée ouvrant sur le souterrain, ferma la porte et la bloqua avec un lit pour retarder l'intrusion de ses poursuivants.

Quand il se retourna, il marqua un temps d'arrêt. Lylas et Elliot l'attendaient.

Mazz avait changé de tactique. Il tentait avec ses suggestions d'arrêter son hôte.

– Vite, il faut sauter dans la galerie, commanda Tomas.

Lylas passa sa main sur le visage d'Elliot et lui sourit.

– Maintenant, dit-elle.

Mex reprit le dessus et parvint à annuler les suggestions de Mazz. Elliot se lança dans le puits, suivi de Lylas et Tomas. Au-dessus de leurs têtes, les hommes d'Hector s'acharnaient sur la porte.

– Elle ne tiendra pas longtemps, commenta Tomas tandis qu'ils s'enfonçaient dans le boyau.

Des cris résonnaient déjà dans leurs dos. Lylas, Elliot et Tomas accélérèrent.

Au premier embranchement, ils s'immobilisèrent. Le garçon à qui Tomas avait offert le brin de romarin se tenait devant eux, souriant.

– To... mas, prononça-t-il.

– Tu ne dois pas rester ici, le prévint Tomas. Ceux qui nous pourchassent sont dangereux.

De la main, le jeune garçon leur fit signe de poursuivre leur chemin. À contrecœur, Tomas obtempéra.

Quand il se retourna après avoir parcouru quelques mètres, le conduit était vide.

– Par là ! beugla un de leurs poursuivants.

Un autre prit le relais.

– Ils sont juste dev...

Dans un terrible fracas, la galerie s'effondra sur les hommes d'Hector.

62

Quand ils sortirent de la galerie, Elliot ne put s'empêcher de jeter un regard à la forteresse. L'imposant panache de l'incendie s'élevait à la verticale.

– Ne traînons pas là, lui intima Tomas. Irvin, Helenn et Gustave nous attendent au campement, et Hector doit déjà avoir lâché ses troupes à nos trousses.

Ils reprirent leur course jusqu'au point de rendez-vous. Elliot peinait. Sa blessure lui tirait une grimace de douleur.

– Courage, le motiva Tomas, nous y sommes presque.

Il les guidait de digue en digue, déjouant les pièges de ce dédale qu'Irvin avait balisé de roseaux coupés pour leur indiquer la voie à suivre à chaque embranchement. Après de longues minutes d'une course chaotique, ils rejoignirent leurs compagnons.

– Enfin vous voilà, les accueillit Gustave. Tout est prêt pour filer.

À la vue d'Helenn, Elliot marqua une hésitation et se figea. Helenn fit un pas en direction de son fils. Tout au long de ces années, elle avait si souvent rêvé de leurs retrouvailles, répétant les mots qu'elle prononcerait. Mais aucun son ne franchit sa gorge. Le regard d'Elliot, arrimé au sien, suffisait.

– Avant je dois prodiguer quelques soins à Elliot, tempéra Lylas, sa blessure s'est rouverte.

Dans un geste délicat, elle leva sa chemise maculée de sang et l'examina. De sa sacoche elle tira des pincées de terre, les malaxa avec un peu de sa salive puis appliqua l'onguent sur la plaie, qu'elle recouvrit d'une bande de tissu humide.

– Nous ne devons pas rester ici, prévint Irvin. L'incendie ne les retiendra pas longtemps.

Alors qu'ils se dirigeaient vers les digues, Lylas saisit la main d'Elliot et la dirigea vers sa blessure.

– Plaque-la dessus, lui enjoignit-elle.

Mais sa main, commandée par son Ilys, arracha la compresse.

Tomas lui empoigna le bras pour l'entraîner à la suite d'Irvin alors que Lylas rajustait le pansement.

Mex, épuisé, supplia l'Ilys de Gustave.

∞ Bem, relaie-moi s'il te plaît, je ne parviens plus à contrôler Mazz.

∞ Bravo, p'tit gars, tu as été magnifique, mais il faudra m'expliquer pourquoi Lylas et Elliot voulaient aller danser.

Mex lâcha prise quand il sentit les vibrations de Bem étouffer les suggestions de Mazz. Il était à bout de forces, sa surface était granuleuse.

∞ Mölg vous fera payer tout ça très cher, menaça Mazz. Les Almars disparaîtront jusqu'au dernier.

∞ Tu es un Almar, répliqua Mex. Et Mölg n'est qu'un traître assoiffé de pouvoir. Tu es le fruit de la division du Grand Commandeur, comme moi. Nous faisons partie du même camp.

∞ Wiggs? Il n'est rien pour moi, il m'a abandonné. Si vous ne vous soumettez pas à Mölg, vous disparaîtrez tous!

La structure de Mex se contracta violemment. Il focalisa son attention sur Mazz, à la recherche du moindre signe témoignant de leur origine commune. Mais sa rage ne laissait rien transparaître. Qu'allait-il advenir de son frère? Wiggs déciderait-il de l'extirper de l'ombre d'Elliot et de le laisser plonger dans un état de dormance pour le neutraliser?

∞ Vibre plutôt vers l'ouest en direction de Galbar, lui intima Bem. Il faut orienter les Rogons sur une fausse piste.

Les Ilys d'Helenn et d'Irvin amplifièrent aussitôt le leurre.

Tandis qu'ils fuyaient dans les marais, Tomas sortit de sa poche le cristal offert par Rose Mama, vit défiler dans sa mémoire les heures heureuses avec sa grand-mère puis, en guise de remerciement au peuple des marais, le déposa en évidence à l'entrée d'une galerie.

Irvin les conduisit au travers du dédale de digues alors que Gustave et Tomas se relayaient pour soutenir Elliot.

Après plusieurs heures d'une fuite effrénée, ils parvinrent enfin à une zone sèche. Là, Mex signala à son hôte qu'aucun Rogon ne vibrait à leurs trousses et que leurs troupes se dirigeaient vers Galbar.

D'un signe à ses compagnons, Tomas décréta une pause. Lylas en profita pour inspecter la blessure d'Elliot. Malgré les mouvements brusques et les secousses, elle ne saignait plus.

– Ça va aller, souffla-t-elle à Helenn.

Celle-ci la serra dans ses bras.

– Je vous dois tant. Vous ne savez pas à quel point je suis heureuse.

Elliot à son tour la prit dans ses bras.

– Merci, lui murmura-t-il à l'oreille.

Il s'approcha alors d'Helenn, joignit ses mains aux siennes, les étreignit avec force. En silence, il la fixa longuement. Elle était sa mère, même si plus rien dans sa mémoire ne le liait à elle. Il leur faudrait du temps pour apprendre à se connaître, renouer un à un les fils que la folie d'Hector avait rompus.

Elliot se sentait revivre, envahi par une extraordinaire sensation de légèreté. Grâce à la neutralisation de son Ilys, il recouvrait enfin son autonomie. Ses pensées s'envolaient sans crainte que le Rogon dans son ombre ne bride ses élans ou ne corrige ses gestes. Là encore, il lui faudrait du temps pour apprivoiser cette liberté nouvelle. Il espérait qu'on le débarrasserait définitivement de Mazz.

Elliot se tourna vers Tomas, sans lâcher les mains de sa mère.

– Pourquoi fais-tu tout ça ? questionna-t-il.

Tomas réfléchit un instant.

– Je vivais dans un monde protégé, jusqu'à ce que ma grand-mère m'ouvre aux atrocités de ce conflit. Si je combats aujourd'hui, c'est au nom de la liberté, celle de tous ceux qui échappent encore au contrôle des Rogons.

Le visage d'Elliot s'assombrit.

– Vous... nous, se reprit-il aussitôt, sommes en danger.

Tomas l'interrogea du regard.

– Hector prépare une attaque d'envergure. Depuis des mois, il arme des hommes qu'il massera autour de votre campement. Lorsqu'il jugera ses troupes suffisantes pour vous écraser, il déclenchera l'assaut, ses soldats déferleront. Vous n'aurez aucune chance.

Malgré l'effroi qui s'emparait de lui, Tomas rétorqua :

– Hector a assassiné Vivian et Richard, mes parents. Il avait aussi enlevé celle que j'aime, ajouta-t-il en se tournant vers Lylas. Je ne le laisserai pas faire.

Le visage d'Elliot se troubla. Puis il se reprit.

– Tu es le fils de... Vivian et Richard ?

Tomas fut à son tour troublé.

– Oui... pourquoi ? Tu as entendu parler d'eux ?

Elliot prit une longue inspiration et baissa les yeux.

– Oui, par Hector.

– Que t'a-t-il dit ? le pressa Tomas.

– Qu'il s'agissait d'espions. Ton père a été tué et... ta mère capturée. J'étais très jeune, mais je me souviens l'avoir croisée plusieurs fois alors qu'on l'emmenait de sa cellule au bureau d'Hector pour des interrogatoires.

– Parle-moi d'elle. Décris-la-moi s'il te plaît. Je lui ressemble ?

Un sourire chargé d'amertume se dessina sur le visage d'Elliot.

– Mes souvenirs sont très vagues, commença-t-il. Elle était belle. Elle me souriait avec bonté. Hector, lui, disait qu'elle était mauvaise et que je devais me méfier.

– Elle a survécu à l'agression d'Hector... murmura Tomas.

– Elle a survécu... mais elle a été gravement blessée, compléta Elliot. Elle a... perdu un bras, le gauche.

Lylas se raidit. Le souvenir de la prisonnière jaillit dans son esprit.

Elle ferma un instant les yeux puis annonça d'une voix vibrante d'émotion :

– Ta mère est vivante, Tomas.

Il se tourna vers elle, incrédule.

– Que dis-tu ?

– Ta mère est vivante, répéta-t-elle en pesant sur chaque syllabe. Elle est détenue dans la forteresse.

– Tu en es certaine?
– Oui, il n'y a aucun doute possible.

Toutes les images qu'elle avait créées en écoutant la prisonnière marteler le mur de sa cellule défilaient dans son esprit.

– Pourquoi ne pas me l'avoir dit là-bas?
– J'ignorais qu'il s'agissait d'elle. Elle était détenue dans une cellule voisine de la mienne. Nous avons communiqué en frappant sur la roche.

Lylas raconta le fruit de leurs échanges, sa force, sa bonté.

– Elle est vivante, et nous ne le savions pas, répéta Tomas. Rose Mama est morte sans savoir que sa fille était en vie...

– Je lui ai promis qu'on la libérerait, murmura Lylas, bouleversée.

– Mais pourquoi ne l'avons-nous pas fait? Il y a sans doute une galerie qui mène jusqu'à sa cellule, insista Tomas, fébrile.

– Sa cellule se trouve au cœur de la masse rocheuse sur laquelle est construite la forteresse, précisa Elliot. On ne peut y accéder que de l'intérieur de l'enceinte. Les défenses vont être renforcées après votre intrusion. Il faudrait lever une armée pour avoir une chance de réussir. Ils sont nombreux, trop nombreux.

– Nous allons rentrer au plus vite et organiser une nouvelle expédition, annonça Tomas, enflammé par ce fol espoir.

– Nos chemins se séparent ici, lui glissa Lylas en aparté. Je dois regagner la nuit pour prévenir mon peuple du danger qu'il court dès qu'il sort dans la lumière.

Tomas se raidit. Une boule pesante se forma dans son ventre. Il prit Lylas dans ses bras, sentit battre son cœur contre sa poitrine, son souffle léger dans son cou.

– Tu ne partiras pas seule, l'avertit-il.

Elle le fixa longuement sans comprendre.

– Je t'accompagne, lâcha-t-il sans baisser les yeux.

63

Après avoir pris quelques heures de repos, leurs hôtes dégustaient un canard chassé par Irvin quand Mex vibra en direction de l'Ilys de Gustave :

∞ Je le connais, sa décision est irrévocable.

∞ Eh bien qu'ils aillent explorer la nuit, et toi avec, répondit Bem. Pendant ce temps, nous irons prévenir le Grand Commandeur de la menace qui pèse sur le campement almar et ferons tout pour le convaincre de lever une armée afin de mettre au plus vite Mölg et Hector hors d'état de nuire.

∞ Elliot livrera leurs points faibles. Mazz peut-être aussi, ajouta Mex. Crois-tu que mon frère rejoindra nos rangs ?

∞ Je l'ignore, Mex. Va courir l'aventure dans la nuit, l'encouragea Bem. Je me charge de Sa Majesté et de son conseiller noir. J'ai quelques comptes à régler avec lui.

Elliot glissa à Tomas :

– Tu peux compter sur moi, je veillerai sur eux. Je te suis redevable de ma liberté et d'avoir retrouvé ma mère. J'espère que l'avenir nous réunira de nouveau. Ton combat est désormais le mien.

– Merci à toi, dit simplement Tomas. Ton ralliement est important pour espérer vaincre un jour les Rogons.

Irvin s'approcha de Tomas.

– Tu n'aurais pas besoin d'un guide ? lui lança-t-il, enjoué.

– Qu'irais-tu faire dans la nuit ? demanda Tomas avec étonnement.

– Je n'ai aucune attache. Alors autant que mes talents de pisteur, de cuisinier et d'archer servent à quelque chose.

Une bourrasque secoua les roseaux. Dérangé, un échassier blanc claqua du bec et prit son envol. Tomas posa son regard sur son ombre.

∞ L'Ilys d'Irvin est dégourdi et nous nous entendons bien, confia Mex. Un peu de compagnie, ce ne serait pas de refus.

– Réfléchis avant de te décider. Je ne sais pas quels dangers nous attendent, prévint Tomas, ni comment la situation évoluera. Mais si tu le souhaites, tu es du voyage.

Un grand sourire illumina le visage d'Irvin.

– Je pars avec vous. Enfin, si Lylas est d'accord, bien sûr.

Elle lui sourit et d'un hochement de tête accepta sa proposition.

Tomas s'adressa à ses compagnons :

– Notre seule chance de victoire contre nos ennemis consiste à riposter massivement et rapidement. Il est temps de nous séparer. Votre route est longue, la nôtre aussi. Je compte sur vous, Gustave.

– Ne vous inquiétez pas, je veillerai sur Helenn et Elliot. Peut-être me laisseront-ils une petite place.

Irvin leur livra d'ultimes conseils.

– Les marais se trouvent désormais derrière nous. Suivez ce chemin, indiqua-t-il. Au premier embranchement, prenez à droite, puis toujours tout droit. Ainsi vous contournerez Galbar et éviterez ses milices.

Tomas, Lylas et Irvin les regardèrent s'éloigner en silence. Puis ils se mirent en marche en direction du sud. Bientôt ils pénétreraient dans la nuit. Et tandis que ses amis lèveraient une armée, Tomas tenterait de convaincre les dirigeants noctamms de se joindre à elle pour éliminer la menace désormais commune. Là, dans l'obscurité, se jouerait une partie de l'avenir du peuple almar. Tomas eut alors une pensée pour sa mère. Résisterait-elle jusqu'à leur attaque ?

Il prit la main de Lylas, mêla ses doigts aux siens.

– Lorsque je suis parti retrouver Blich, tu m'as reproché de ne pas connaître le sens du mot amitié, lui glissa-t-il. Tu avais peut-être raison, mais je connais le sens du mot amour, et celui de promesse.

Irvin marchait en tête en sifflotant, trois arcs suspendus à l'épaule.

UNE TRILOGIE DE JEAN-CHRISTOPHE TIXIER

TOME 1
TOMAS ET LE RÉSEAU INVISIBLE

TOME 2
LA PROMESSE DE LYLAS

TOME 3
à paraître en avril 2013

L'AUTEUR

Jean-Christophe Tixier est né en 1967 à Pau, où il a grandi et vit toujours. Il a enseigné l'économie, formé des jeunes en difficulté, réalisé des sites Internet, des documents publicitaires, et fait une multitude de métiers. Il a longtemps exploré les méandres de l'imagination et de l'écriture, certain de finir par trouver une machine à rêves. Après la publication de nouvelles et d'un roman policier pour adultes, il se lance dans la littérature jeunesse. Pour écrire, il choisit rituellement l'accompagnement d'une chanson qui le suit en boucle du début à la fin de son projet.

Il partage son temps entre l'écriture, l'organisation à Pau d'un salon polar intitulé *Un Aller-Retour dans le Noir* – une autre façon de partager sa passion pour le noir –, la direction d'une collection de nouvelles, les voyages, les rêveries, les dîners entre amis et les rendez-vous avec ses lecteurs. Autant de prétextes aux rencontres...

Vous pouvez le retrouver sur :
www.facebook.com/Tixier.JeanChristophe

L'ILLUSTRATEUR

« À l'âge de douze mois environ, je n'ai plus voulu marcher. Cela a duré deux longues semaines. Mes parents ont été très inquiets, puis tout est rentré dans l'ordre. Je me souviens très bien de ce qu'il s'est passé. J'avais vu mon ombre... Cette chose sombre ne voulait pas me lâcher et j'avais très peur !

Plus tard, quand j'ai commencé à dessiner, je réservais toujours un espace dans ma composition pour une large tache et on m'a souvent fait des reproches à ce sujet. Mais puisqu'il fallait accepter de vivre avec son ombre, il fallait bien lui faire une place quelque part !

Aujourd'hui nous nous entendons plutôt bien, mon ombre et moi. Surtout quand il s'agit d'illustrer une trilogie telle que celle-ci ! »

Didier Garguilo vit actuellement en Loire-Atlantique.

Retrouvez

LES INITIÉS

sur le site www.livre-attitude.fr

Impression réalisée par

BRODARD & TAUPIN

La Flèche

pour le compte de Rageot Éditeur
en septembre 2012

Imprimé en France
Dépôt légal : octobre 2012
N° d'édition : 5664-01
N° d'impression : 70089

J. LE PRÉVOST